진정일 교수의
교실밖
화학
이야기

진정일 교수의

교실밖 화학 이야기

춤추는 분자들이 만들어내는 마법의 세계

궁리
KungRee

개정판을 펴내며

『진정일의 교실 밖 화학 이야기』(양문)가 출간된 지 벌써 7년이 다 되어
간다. 그간 많은 독자들의 사랑을 받으며, '화학'을 조금이라도 우리들 가
까이 갖다놓는 데 도움이 되었다는 점에서 자부심을 느낀다. 특히 중·
고등학생들에게 중요한 읽을거리를 제공하고, 우리나라의 미래를 이끌
어갈 이들에게 과학의 중요성을 일깨우기에 일조를 해온 듯싶어 더욱 기
쁘다.

 양문의 사정으로 이 책을 더 이상 펴내지 못하게 되어 안타깝게 여기
고 있던 중, 궁리출판사의 이갑수 사장님과 김현숙 주간님의 도움으로
새롭게 손질해 다시 펴낼 수 있게 되어 기쁘고, 고마운 마음 무어라 표현
해야 할지 모르겠다.

 먼저 책 출간 후에도 여러 곳에 화학 관련 글을 투고해온 터라 일부 새
로운 내용을 추가하기도 하고, 기존 내용을 보완하기도 하였다. 새로 출

간된 이 책이 새로운 독자들의 손길을 이끌고, 화학의 대중화에 더 깊이 기여하기 바라는 마음 간절하다. 끝으로 임선애 양의 글 손질에 감사드린다. 궁리출판사 여러분께 다시 고마움의 큰 절을 드린다.

2013년 10월
진정일

머리말

21세기 과학의 중심에 선 분자의 과학

이 세상을 구성하는 모든 물질이 분자로 되어 있지만 우리는 흔히 그 사실을 잊고 살아간다. 생물의 생존에 가장 필요한 물, 공기, 각종 영양분은 말할 필요도 없고, 매일 보고 만지며 사용하는 모든 물건 또한 분자로 구성되어 있다. 소위 첨단기술의 바탕이 되는 소재는 물론이고, 자원과 에너지 전쟁도 결국은 누가 더 필요한 분자를 더 잘 만들고 많이 소유하는가를 경쟁하는 것에 지나지 않는다. 현대 의약과학 또한 모든 질병의 근원을 분자 차원에서 찾고, 그 치유 방법도 분자에서 찾음으로써 분자의 기능과 작용에 대한 이해를 요구하고 있다. 자연과 생명 보호의 관점에서 그 중요성이 강조되는 환경 문제에서도 오염의 근원을 찾고 제거하기 위해 그 해결사인 분자를 연구하고 있다.

　건강한 삶을 위한 건강한 밥상은 건강지킴이 분자들의 진열장이며, 자연의 아름다운 모양과 색깔 또한 분자들의 향연에 지나지 않는다. 과거 역사를 추적하고 오래된 유물의 옛이야기를 캐어내는 작업도 그 시대와 관련된 분자들의 탐구에 귀결된다. 인류사에서 전쟁의 역사는 무기, 화약 등 전쟁 물자 제조에 사용된 분자의 전쟁사라 하여도 과언이 아니다. 인간의 수명을 연장하려는 과학자들의 노력은 결국 노화의 원인인 분자들과의 싸움이며, 이 싸움을 통해 인간의 수명이 100세 이상으로 연장될 날이 머지않아 보인다.

이상의 내용으로만 보아도 우리가 분자의 세계와 별개일 수 없다는 점을 깨닫게 된다. 이러한 분자의 세계를 다루는 자연과학의 한 영역이 화학이며, 화학은 물리학, 생명과학, 화학공학, 재료공학, 기계 및 전자공학, 환경공학, 의약학, 식품 및 영양과학에 분자에 관한 지식과 정보를 제공하는 기초과학으로서 과학기술의 중추적 역할을 담당한다. 요즈음 흔히 듣는 나노 및 나노바이오 과학기술에서도 화학의 힘은 절대적이다.

그러나 어릴 때부터 우리가 접하는 학교에서의 화학은 통 재미가 없다. 도무지 화학의 중요성과 의미를 찾아보기도 힘들어서 화학이 가장 재미없는 과학과목이 되어버린 지 오래다. 21세기 과학의 중심에 화학이 있으며, 화학의 발전 없이는 IT(정보기술), NT(나노기술), BT(생명기술), ET(환경기술) 어느 것 하나도 발전할 수 없다. 그런데도 화학은 대학 입학시험을 준비하는 데 두어 달 투자하면 되는 과목이 되어버렸다. 이것은 시작부터가 잘못되어 있기 때문이다. 우리 일상생활 속에 화학이 얼마나 깊이 자리하고 있는지, 또 우리의 삶이 얼마나 화학에 의해 영향을 받고 있는지 청소년과 일반인들에게 알려줌으로써 이러한 인식을 극복

할 수 있다고 믿는다.

이를 위한 노력의 일환으로 필자는 일간신문, 월간잡지, 학회소식지 등에 여러 해 동안 화학 이야기를 써왔다. 그리고 지난 1998년에 이미 동아일보사 발간으로『화학이 들려주는 상식여행―프로야구 왜? 나무방망이 쓰나』를 출판한 바 있다. 그러나 독자들에게 더 넓게 소개하고 싶은 화학 이야기들이 많이 쌓였고, 또 전부터 갖고 있던 원고도 적지 않은 터에 양문의 적극적 도움으로 이 책을 세상에 내놓게 되었다. 부디 이『교실 밖 화학 이야기』가 교실 속 화학을 더 가치 있고 매력적으로 만들 수 있기를 바란다. 이 책이 나오기까지 많은 시간 원고정리에 도움을 준 권영완 박사에게 감사드리며, 편집과 출판을 이끌어준 양문의 이영수 씨를 비롯한 가족들에게도 진심으로 감사드린다.

2006년 7월
아차산 밑에서
진정일

차례

1 · 화학으로 살펴보는 역사 이야기

2 · 인간을 위한 웰빙 화학

4 · 현대문명 속에 숨어 있는 화학

1

화학으로 살펴보는
역사 이야기

Chemistry

화학,
재미있는 요술

도대체 '화학'을 뜻하는 영어의 chemistry, 독일어의 chemie, 프랑스어의 chimie 등은 어디에서 시작되었으며, 우리는 어떻게 화학이라는 말을 사용하게 되었을까? 하나의 설에 따르면 chemistry 등의 단어는 이집트어인 chemi(黑術)에서 유래되었다고 한다. 이집트의 젖줄인 나일강 유역은 워낙 비옥하고 흙의 색깔이 까매 흑토라 불렸다. 이 이집트에서 발달한 연금술을 흑술이라 불렀고, 이것이 그리스어인 Khyma를 거쳐 현재 쓰이는 몇 가지 단어로 변했다는 이야기다.

그리스어 Khyma는 유출하는 물질, 혹은 유출하는 유체를 의미하며, 금속을 정련할 때 틀에 용융 금속을 흘려 넣어 만든 덩이를 가리키기도 한다. 한편 그리스어 Khymeia는 합금을 만드는 기술인 연금술을 의미하는데, 여기에 아라비아어에서 정관사로 사용하는 al을 붙이면 alkimia가 된다. 결국 이집트의 알렉산드리아를 중심으로 발달한 고대 화학이 유럽으로 전달되어 alchemy가 되었는데, 이 말을 연금술로 번역한 것은 고도화된 이집트 학문은 도저히 이해하지 못할 요술쟁이들의 신기한 기술이라는 생각에서 기인한 것 같다.

한국, 중국, 일본 세 나라 중에서 일본이 화학이라는 말을 가장 먼저 사용하였다. 우다가와 요안이라는 사람이 chemie를 일본말로 '舍密'(일본 발음으로 '세미')이라고 음역했고, 1835년에 『사밀개원(舍密開院)』이라는 일본 최초의 화학책을 발간하였다. 그 후 1860년에 가와모토 고민이 『만유화학(万有化學)』이라는 제목으로 번역서 출간을 신청했으나 허가를 받지 못했는데, 이 책에 '화학'이라는 말이 처음으로 나온다. 가와모토는 이듬해 유명한 『화학신서』를 출판했으며, 이 책은 교과서로도 널리 쓰였다.

메이지 17년(1884년) 12월 일본화학회는 '화학'과 '세미' 중 어느 명칭을 사용할지 논쟁을 벌였다. 다음해 1월 투표에서 회원 73명 중 35명이 세미라는 명칭을 사용하자고 찬성투표를 하였으나 3분의 2에 미치지 못해 결국 화학으로 결정되었다. 대신 일본은 '세미'를 사용한 해부터 '화학' 용어를 처음 사용한 것으로 계산하였다. 이 결과는 중국과 우리나라에도 화학이라는 명칭을 사용하게 된 계기가 되었다.

한편 중국에서는 영국 선교사 조지프 에드킨스가 1854년 번역한 『중학(重學)』에서 화학이라는 단어를 사용했으나 출판이 지연되었다. 그러는 사이 같은 영국 선교사인 알렉산더 와일리가 이 용어를 받아들여, 1857년 자신이 상하이에서 발행하던 월간잡지 『육합총담(六合叢談)』에 화학이라는 말을 처음으로 사용했다. 아마도 그는 일본에서 사용한 화학

1. 화학으로 살펴보는 역사 이야기

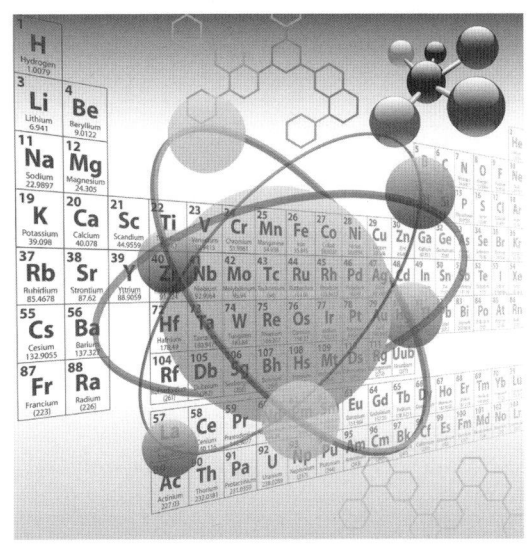

'이해하기 어려운 요술'이라는 의미에서 비롯된 chemistry가 지난 150여 년간 이룩한 학문과 기술 발전은 우리의 문명과 생활양식을 완전히 바꾸어놓았다. © Michael Brown | Dreamstime.com

이라는 용어를 알고 있었던 모양이다.

그러면 우리나라에서는 언제부터 화학이라는 말을 사용했을까? 우리나라 과학사학자에 의하면 1884년 초《한성순보》의 한 기사에 화학이라는 말이 처음으로 등장했다고 한다. 따라서 우리나라에서 화학이라는 단어의 시작은 일본보다 50여 년, 중국보다 30여 년 늦었다고 볼 수 있다. 중국에서는 서수가 1870년경 서양의 서적을 번역해『화학원감』을 출판했는데, 이 책이 조선 말 개화기에 화학을 소개한 중요 문헌이었던 것 같다. 특히《한성순보》의 과학에 관한 기사가 이 자료에 많이 의존하였던 것으로 보인다.

우리나라에서 서양 화학을 단편적으로나마 소개한 책으로는 최한기의 『신기천험(身機踐驗)』이 있다. 1866년 출판된 이 책은 서양에서 말하던 원소(당시 56개)와 일부 화합물을 소개하지만 '화학'이라는 단어를 쓰지는 않았다.

'이해하기 어려운 요술'이라는 의미에서 비롯된 chemistry(chemistry of love를 '사랑의 화학'이 아니라 '사랑의 불가사의'라고 번역해야 옳다는 것을 알고 있는 화학자가 몇이나 될까!)가 지난 150여 년간 이룩한 학문과 기술 발전은 우리의 문명과 생활양식을 완전히 바꾸어놓았다. 화학의 化를 옥편에서 찾아 의미를 살펴보면, 陰陽運行(될 화, 화할 화), 萬物生息變化, 上行下敎(본받을 화), 變形(바뀔 화), 死(죽을 화), 妖術(요술 화) 등이 실려 있다. 요술이라는 의미가 빠지지 않는 걸 보면, 화학은 역시 요술처럼 재미있고 어떤 일이든 해낼 수 있는 학문 분야인 모양이다. 그러기에 모든 화학도가 화학을 공부할 수 있음에 행복감을 느끼지 않을까!

우주는 화학 공장
—지구상 생명체는 외계로부터?

생명체가 생기려면 아미노산, 핵산과 기타 기본이 되는 화학적 빌딩 블록이 필요하다. 이 간단한 화합물들은 차차 더 복잡하게 변하여 결국에는 생명의 보증이라고 할 수 있는 자기복제와 같은 특성을 지녀야 한다.

지구 나이가 46억 년이고 최초의 원시적 생물체는 약 40억 년 전에 나타났다고 믿고 있다. 이는 유성들의 대충돌로 지구상에 아무런 생명체도 있을 수 없게 된 후 1억 년 정도가 흐른 시간이다. 그런데 이 1억 년이라는 기간이 생명의 탄생에 필요한 화합물들이 저절로 합성되고 더 나아가 그들로부터 생명 자체가 만들어지기에는 너무나 짧다.

따라서 생명체가 생기기 위해 필요한 여러 가지 화합물이 지구에서 만들어진 것이 아니고 외계로부터 왔다는 주장이 나오게 된다. 실제로 현재도 매일 지구 표면에 도착하는 우주 먼지 알갱이들은 30톤이 넘고 여러 가지 유기 화합물이 상층 대기권에 쌓이고 있다니 매우 놀라운 일이다. 우주는 핵용광로의 집합체일 뿐 아니라 동시에 여러 가지 화학 반응이 일어나는 화학 공장들로 차 있다고 볼 수 있다.

1953년에 시카고 대학 해럴드 유리(1934년 노벨화학상 수상)의 학생 스탠리 밀러는 초기 지구 대기가 산소 없이 메탄, 암모니아, 물, 수소분자 등으로 되어 있었으며 번갯불이 이들 간에 화학 반응을 일으켜 생명체에 필요한 화합물을 합성했을 것으로 추측했다. 밀러는 화합물들을 밀폐된 용기에 넣고, 지구 초창기의 뜨거운 바다를 흉내 내기 위해 물을 끓이면서 전극을 넣어 전기 스파크(번개)를 일으켰더니 용액이 어두운 갈색으

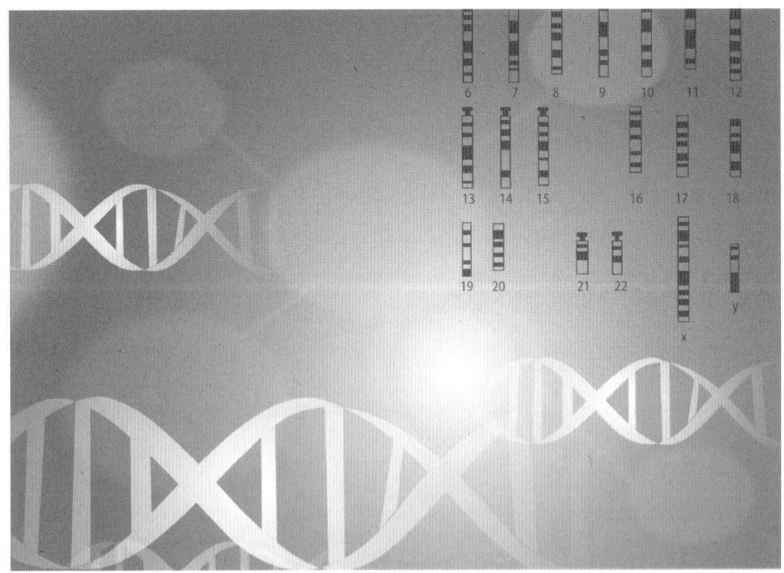

생명체는 우주에서 왔을까 아니면 지구상에서 진화되어 생겼을까? © Stefanie Angele l Dreamstime.com

1. 화학으로 살펴보는 역사 이야기

로 변했다. 이 용액을 분석해보니 여러 가지 아미노산이 많이 생겼다. 따라서 그는 유기 화합물이 비교적 쉽게 생성될 수 있다고 믿었다. 그러나 현재는 태양계의 내부 운성의 초기 대기가 환원적이었다고 믿지 않고 있어, 유리와 밀러의 실험은 초기 유기 화합물이 만들어진 분위기를 모방하지 못했다는 설에 더 설득력이 있다.

한편 우주가 다양한 화학 물질의 보고임을 예전부터 과학자들은 잘 알고 있었다. 수소, 헬륨, 탄소, 철, 알루미늄, 산화마그네슘 같은 원자 및 분자들의 존재는 오래전부터 알고 있었으며, 현재는 메탄올처럼 간단한 화합물에서 석탄이나 중유 속에 들어 있는 화합물들과 유사한 여러고리 방향족 탄화수소(polyaromatic hydrocarbon : PAD)들에 이르기까지 다양한 화합물들이 발견되고 있다.

그런데 정말 놀랄 만한 일이 또 일어났다. 1969년 호주에 떨어진 머치슨(Murchison)이라 불리는 운석 속에 들어 있는 유기 화합물을 분석해보니 이 지구상에서 발견되는 모든 아미노산뿐만 아니라 케톤류, 카르복시산류, 아민, 아미드 및 퀴논류까지 들어 있음을 알아냈다. 퀴논류는 화학 에너지 저장 분자로 화학 반응시 필요한 에너지를 공급한다. 이 같은 에너지 전달 분자들은 생명 현상에 필요한 에너지를 생산하고 생화학에서 중추적 역할을 한다. 더구나 이 운석은 지구 나이와 같다는 것이 밝혀져 지구뿐만 아니라 저 먼 우주 공간에서도 똑같은 화학 반응이 진행됐다는 증거가 된다.

그 후 미국 NASA연구팀은 새로이 두 종류의 화합물을 머치슨 운석에서 더 찾아냈는데, 공교롭게도 중요한 에너지 전달분자인 당류와 피리딘 디카르복시산류였다. 지난 2000년 1월 18일 아침에 큰 혜성이 쪼개져 캐나다 브리티시 컬럼비아 북부의 태기쉬(Tagish) 호수에 500여 개의 운석 조각이 떨어졌다. 이들 운석을 미국 아리조나 주립대의 샌드라 피자렐로 교수팀이 분석해보니 아미노산류를 찾을 수 없었고 대신 피리딘디카르복시산과 니코틴산 같은 피리딘 유도체를 발견하였다.

이를 처음에는 놀랍게 받아들였으나 그 넓은 우주에서 운석들이 생긴 조건이 달랐을 터이고, 그에 따라 생긴 화학 반응 생성물도 달라졌으리라는 지극히 평범한 화학적 사실을 생각하게 되었다. 화학 실험실에서 출발물이 다르고 반응조건이 다르면 생성물이 달리 얻어진다는 것은 너무나 당연하기 때문이다. 그렇다면 실험실에서는 흔히 열을 주어 화학 반응을 일으키는데, 차가운 우주 공간에서는 무엇이 화학 반응의 추진력을 제공할까?

미국 NASA의 맥스 번슈타인 팀과 휴 힐 팀의 연구 결과가 재미난 얘기를 들려준다. 첫번째 팀은 겨우 절대온도 15도(-257°C)에서도 자외선을 쪼여주면 반응이 일어날 수 있음을 보여주었으며, 두 번째 팀은 우주 먼지 표면에 있는 금속 원자들이 대단히 우수한 촉매 작용을 하기 때문에 에너지를 별로 공급하지 않아도 생명 탄생에 필요한 여러 가지 유기 화합물이 만들어질 수 있음을 실험실의 모형 실험으로 보여주었다. 따라서 우주먼지로 채워져 있는 광활한 우주 공간에서 얼마든지 다양한 유기 화학 반응이 일어나고 이들 유기 화합물이 묻어 있는 먼지들이 혜성이나 기타 우주 떠돌이에 붙은 후, 기존의 행성 등에 유기 화합물을 전달하였으리라는 점을 쉽게 추측할 수 있다. 그렇다면 이 지구상의 생명 화합물들도 어느 별들에서 왔을까?

대답은 현재 아무도 할 수 없다. 그러나 이 우주 어디엔가 생명체들이 있다면 그곳의 생명체들도 이 지구상에 있었던 생화학과 매우 유사한 생화학을 통해 탄생했을 것이다. 천체화학자들은 오늘도 하늘을 쳐다보며 질문을 던진다. 생명체는 우주에서 왔을까 아니면 지구상에서 진화되어 생겼을까?

준비된 과학자에게만
찾아오는 우연한 행운

아르키메데스의 부력 발견, 아이작 뉴턴의 중력법칙 발견, 월러스 캐러더스의 나일론 발명 등 수많은 새로운 발견과 발명에 얽힌 이야기는 '우연히 찾아온 행운의 여신'이 얼마나 큰 선물을 가져다줄 수 있는지를 말해준다. 1953년 미국 제너럴일렉트릭사(GE)의 연구소에서 있었던 하나의 커다란 발명도 이러한 경우에 해당한다. 이는 현재 비행기의 창, 자동차 범퍼, 호신용 방탄투명창 등 여러 용도로 사용하고 있는 엔지니어링 플라스틱의 한 종류인 폴리카보네이트에 관한 이야기다.

1951년 대니얼 폭스 박사는 오클라호마 대학에서 박사학위를 취득한 후 GE에서 연구에 몰두하고 있었다. 그는 전선 절연용 재료를 개발하는 연구 과제를 수행하게 되었는데, 특히 고온 및 고습도에서도 잘 견디는 재료 개발이 필요했다. 어떤 플라스틱 재료 개발이 적합할지 연구토론을 하던 중 한 동료가 "가수분해에 잘 견디는 폴리에스테르만 찾으면 될 텐

1. 화학으로 살펴보는 역사 이야기

데……" 하며 아쉬워했다. 이 말을 유심히 듣고 있던 폭스 박사는 과거의 연구 기억을 되살렸다. 특히 그 전해에 과이어콜이라는 페놀류의 탄산에 스테르(카보네이트) 에스테르가 가수분해에 매우 잘 견뎠던 실험을 상기했다. 그는 급히 시약 저장 창고로 뛰어가 과이어콜 분자가 두 개 결합한 비스과이어콜을 찾으려 했으나 찾을 수가 없었다. 바로 그는 비스과이어 콜을 탄산에스테르로 만들어 새로운 플라스틱을 합성해보자고 생각했다.

이것이 폭스 박사에게 행운을 가져다주리라고는 아무도 예측하지 못했다. 비스과이어콜을 찾을 수 없자 폭스 박사는 어느 정도 유사성이 있는 비스페놀-A라는 화합물을 대신 사용하기로 하였다. 비스페놀-A는 쉽게 구할 수 있는 싼 화합물로, 당시 막 시판이 시작된 에폭시 수지의 제조 원료이기도 했다.

폭스 박사는 탄산알킬과 비스페놀-A를 가열하여 새로운 폴리에스테르를 합성하려고 여러 번 시도했으나 실패의 연속이었다. 끈기를 잃지 않고 여러 탄산에스테르를 시험하던 중 그는 탄산디페닐을 사용하게 되었다. 탄산디페닐과 비스페놀-A를 섞고 저어주면서 가열하자 페놀이 증류되어 나오기 시작했고, 반응용기 속의 혼합물 점성도가 크게 증가하여 교반이 힘들어졌다. 점차 온도를 올리고 압력을 낮추어 페놀의 제거를 시도했지만 결국 교반기가 돌지 않을 정도로 용기 내 반응물의 점성도가 커졌다. 용기로부터 반응물을 꺼낼 수 없게 되자 폭스 박사는 하는 수 없이 반응물을 냉각시킨 후 용기를 깨뜨릴 수밖에 없었다. 교반기 끝에는 커다란 덩어리가 붙어 있었고, 반응용기의 유리조각이 그 덩어리 속에 일부 박혀 있었다.

1987년 한 강연에서 폭스 박사는 다음과 같이 말했다.

"이 덩어리를 시멘트 바닥에 두드리고 던져도 보았지만 도대체 부서지지를 않더군요. 소나무에 못을 박기 위해 망치로 사용할 수 있을 정도였습니다. 결국 한 조각씩 톱으로 잘라냈고, 일부는 섭씨 300도에서 압축하여 필름으로도 만들었지요. ……우리 연구소에는 교육을 잘 받은 고분자화학자들이 많았지만, 대부분 열가소성 고분자의 합성에는 별로 경험이 없었고, 폴리카보네이트처럼 이상한 플라스틱의 상품적 가치를 제대로 감지하지 못했습니다. 따라서 제가 만든 폴리카보네이트는 별로 관심을 끌지 못한 채 잠시 잊혀져야 했습니다. ……다행히 후에 개발부에서 간부로 일하게 된 페처카스 박사가 지방족 폴리카보네이트에 관한 과거 경험을 살려 제가 만든 폴리카보네이트 개발의 챔피언이 되었지요."

새로운 플라스틱의 개발이 순탄하지만은 않았지만, 결국 GE는 폴리카보네이트 개발에 성공했고 수많은 용도를 찾아냈다. 하지만 미국의 GE만이 아니라 독일의 바이엘사도 방향족 폴리카보네이트를 개발하고 있었다. 사실 폭스 박사의 발견은 재발견에 지나지 않았다. 독일은 이미 1902년에 똑같은 폴리카보네이트를 합성했다. 하지만 그때는 고분자가 무엇인지도 정확하게 몰랐고, 더욱이 용도 개발은 꿈도 꾸지 못했다.

현재 시판되고 있는 폴리카보네이트는 폭스 박사가 사용한 합성법을 바꾸어 비스페놀-A와 포스겐을 중합시켜 제조하며, 우리나라에서도 생산되고 있다. 현재 개인 보호용판, 외국대사관 구조물, 은행창구의 유리,

감옥의 창, 아이스하키장 관람자 보호 방패창, 초음속 비행기의 운전석 덮개, 스쿠버 마스크, 특공대 방패 등을 폴리카보네이트로 만든다. 강도와 투명성이 우수하고 증기 살균이 가능한 이 플라스틱은 아기젖병 및 20리터들이 물병에서 보안경 및 헬멧 등의 제조에 이르기까지 다양하게 사용된다. 또한 폴리카보네이트를 다른 폴리에스테르와 섞어 충격 강도를 보완함으로써 자동차 범퍼를 만드는 데도 널리 쓰인다.

현재 시판되고 있는 폴리카보네이트는 아기 젖병 및 20리터들이 물병에서 보안경 및 헬멧 등의 제조에 이르기까지 다양하게 사용된다.
© Monticelllo | Dreamstime.com

폭스 박사는 다음과 같은 말로 연설을 끝맺었다. "교반기 끝에 붙어 있던 그 덩어리가 결국 어떻게 되었는지, 또 얼마나 많은 사람에게 영향을 주었는지를 돌이켜보면 그것은 매우 재미있는 일이었을 뿐만 아니라 나 개인에게도 커다란 만족감을 주었습니다."

지금 이 이야기는 우연한 행운의 발견에 관한 배경을 설명하고 있다. 그러나 이 같은 뜻밖의 발견이 정말 '우연적'이었는지는 다시 생각해보아야 한다. 만약 폭스 박사에게 탄산에스테르(카보네이트)의 안정성에 관한 지식이 없었어도 이 일이 일어날 수 있었을까? 또 그가 처음에 사용했던 지방족 카르본산 에스테르와 비스페놀의 반응이 원만하지 못했을 때 그냥 단념하고, 방향족 카르본산 에스테르인 카르본산 디페닐의 사용을 시도하지 않았다면 이 발견이 가능했을까? 더 나아가 폭스 박사가 폴리카보네이트 합성에 성공했음에도 GE가 가공 연구나 제품 개발에 신경을 쓰지 않았다면 어떻게 되었을까?

화학, 미생물 및 의학 등에 큰 공헌을 한 프랑스의 루이 파스퇴르는 위대한 발견의 우연성에 관하여 다음과 같이 간결하게 정리했다. "관찰의 영역에서 '우연'은 그를 맞이할 마음의 준비가 된 자에게만 찾아온다."

1974년 노벨상 수상자인 폴 플로리 교수도 미국화학회가 주는 가장 명예스러운 상인 프리스틀리상 수상식에서 다음과 같이 말했다. "중요한 발명은 단순히 우연한 사건이 아닙니다. 하지만 이 잘못된 생각은 넓게 퍼져 있고, 과학기술계가 이 잘못된 생각의 퇴치에 앞장서지 않은 것은 불행한 일입니다. 물론 우발적 사건이 새로운 발명에 부분적으로 기여하는 것은 확실합니다. 그러나 발명에는 하늘에서 우연히 떨어진다는 식의 개념보다 훨씬 중요한 것이 있습니다. 즉 발명의 절대적 요건은 깊이나 넓이 면에서의 많은 지식입니다. 미리 마음속으로 철저히 준비하지 않는 한, 천재의 섬광은 점화시킬 어떠한 대상도 발견하지 못할 것입니다."

위대한 발견과 발명에는 항상 우연성이 눈에 띄지만, 철저하게 행운을 맞을 준비를 하고 있는 과학자만이 값진 결실을 얻을 수 있다.

한 가지 덧붙이면, 폴리카르보네이트 제조에 사용하는 비스페놀-A가 환경 호르몬이라는 주장이 거세지면서 폴리카르보네이트의 사용 분야가 전보다 많이 제약을 받고 있다. 그러나 이런 주장은 아직도 논란의 대

상이 되고 있다. 실제로 폴리카르보네이트에서 나오는 비스페놀-A의 양
은 워낙 적어 무해하다는 주장이 있기 때문이다.

세계를 흥분시킨
과학적 오류, 중합수

과학자라면 누구나 세계가 놀랄 만한 발견이나 발명을 통해 과학기술의 획기적인 전기를 마련하길 원한다. 하지만 때로는 이 욕망이 너무 지나쳐서 잘못된 연구 결과를 발표해 세계를 흥분의 도가니에 몰아넣을 만큼 충격적인 이야깃거리를 낳기도 한다. 한 번씩 이런 일이 벌어질 때마다 과학자들의 도덕성과 신뢰성은 의심의 대상이 되고 만다.

1960년대 초 소련의 한 연구소에서 일하던 니콜라이 페디아킨은 매우 가는 유리 모세관을 밀봉한 채 물을 가열하다가 끓는점이 높고 점성도가 큰 새롭고 이상한 액체를 발견했다. 이 연구 결과를 접한 모스크바의 유명한 계면화학자 보리스 데리아긴은 이에 대해 본격적인 연구를 시작하여 1965년 모스크바에서 개최된 소련화학회에서 3년 동안 연구한 결과를 발표했다. 서구 과학자 몇 명이 데리아긴의 발표를 들었지만 통역 시설이 나빠 러시아어로 발표된 내용을 잘 이해하지 못했고, 그 내용도 별로 그들의 관심을 끌지 못했다.

1966년 9월 데리아긴은 서구에서는 처음으로 영국 노팅엄의 '패러데이 디스커션'에서 이 '이상한 물'에 관해 영어로 강연을 했다. 하지만 그때도 영국과학자들의 대부분이 이 결과를 제대로 받아들이지 못했다. 그런데 유니레버연구센터의 소장이었던 브라이언 페티카와 런던의 데즈먼드 버널이 예외직으로 데리아긴의 발표내용에 주목했다. 특히 페디카는 데리아긴의 실험을 반복하여 그 결과를 1969년 4월 최고의 권위를 자랑하는《네이처》에 발표함으로써 세계 과학자들의 관심을 끌었다.

그로부터 2개월 후 미국 국립표준국의 로버트 스트롬버그와 메릴랜드대학의 엘리스 리핀콧 등이 이 '이상한 물'의 분광학적 구조분석을 또 다른 최고의 과학학술지인《사이언스》에 발표하였다. 그리고 그들은 소련 과학자들이 말한 이 '이상한 물'은 물분자들이 중합체를 만들고 있다며 '중합수'라는 이름까지 붙였다. 과학자들 사이에서 중합수에 관한 논쟁이 뜨거워졌고, 미국의 언론매체들은 중합수의 가능한 미래 응용(윤활제, 원자로 감속제 등)을 대서특필하며, 심지어 '거실의 가구를 물로 만들 날이 곧 올 것'이라는 터무니없는 기사까지 실었다. 한편에서는 중합수가 생명의 신비에 대한 열쇠를 쥐고 있다고까지 했다.

그러나 또 다른 많은 과학자들은 중합수에 대해 회의를 느끼고 있었으며, 1970년에 접어들면서 중합수에 대한 반격이 거세지기 시작했다. 1970년 3월 벨 전화연구소의 데니스 루소 박사와 남캘리포니아대학의 포토 교수는 중합수가 놀랍게도 고농도의 무기물로 되어 있다는 폭탄적

물은 확실히 처한 상황이나 분위기에 따라 수많은 얼굴을 지니고 있으며, 바로 그 가능성 때문에 '중합수'라는 개념도 비교적 쉽게 받아들여졌으리라 생각된다. 왼쪽 위부터 차례대로 (cc) Sander van der Wel, Public Domain, (cc) Danielteolijr, (cc) Urka, (cc) Michael Jastremski, (cc) Michael from U.S.A.

인 결과를 발표했다. 그 전해에도 캘리포니아의 아서 체르킨이 《네이처》에 「이상한 물: 실리카 분산」이라는 논문을 발표하여 중합수의 정체를 의심했고, 퍼듀대학의 로버트 데이비스도 중합수의 존재를 부정하면서 '중합쓰레기'라고 혹평했다. 많은 실험 및 이론적 반론이 제기되었고, 드디어 1971년 3월 《네이처》는 중합수의 실체를 부정하기에 이르렀다.

1966년부터 1969년까지 미국의 대학에서 박사학위 과정을 밟고 있던 필자도 중합수에 관한 수많은 논문을 읽었다. 지금 생각하면 우습기조차 하지만 왜 당시 과학자들은 소련과학자들이 말한 '이상한 물'을 화학적

1. 화학으로 살펴보는 역사 이야기

으로 분석하지 않았을까? 왜 한편에서는 이론가들이 이 새로운 물의 구조를 제안하고, 매스컴은 이 이상한 물의 환상적인 응용을 말하는 등 유행스런 과학 이야기 속에 깊이 빠져들었을까? 당시 과학자들의 불찰을 옹호할 생각은 조금도 없지만, 이 과학적 사건에는 '물'이라는 화합물이 그 중심에 있었음을 우리는 주목해야 한다.

우리가 물(H_2O)이라고 부르는 화합물은 여러 면에서 가장 신비로운 화합물이다. 물에 관해 말할 때 흔히 '수소결합'이라는 특수 결합으로 모든 설명이 가능한 것처럼 이해하고 있으나 이는 물의 구조를 지나치게 단순화한 그림에 불과하다. 물은 확실히 처한 상황이나 분위기에 따라 수많은 얼굴을 지니고 있으며, 바로 그 가능성 때문에 '중합수'라는 개념도 비교적 쉽게 받아들여졌으리라 생각된다. 잘못된 선입견 때문에 과학자들이 웃음거리가 된 커다란 사건이었다. 과학자들은 합리성을 잊는 순간 이미 과학을 벗어났음을 항상 명심하여야 한다.

폭약으로
심장병을 치료하다

의학의 발달로 인간의 수명이 점점 길어지고 있다. 아마도 100년 후에는 인간의 평균 수명이 적어도 150세는 넘으리라고 예측된다. 단순히 질병을 치료하는 차원이 아니라 아예 처음부터 병에 걸리지 않게 예방하고, 또 노화 현상에 대한 이해가 커짐으로써 노화를 느리게 하거나 방지하여 평균 수명을 두 배까지 늘릴 수 있다고 한다.

그런데 의학의 발달은 약학의 뒷받침 없이는 불가능하며, 약학의 발달은 화학의 기초 없이는 불가능하다. 흔히 니트로글리세린이라고 짧게 부르는 트리니트로글리세린의 경우가 이를 뒷받침하는 예에 해당한다. 니트로글리세린은 1847년 이탈리아 화학자 아스카니오 소브레로가 처음으로 합성했다. 진한 질산과 진한 황산 혼합액을 차갑게 한 후 여기에 글리세린을 섞으면 올리브기름 같은 화합물이 얻어진다. 이 액체를 질 관찰하기 위해 들여다보던 소브레로는 관자놀이부터 시작되는 두통을 느

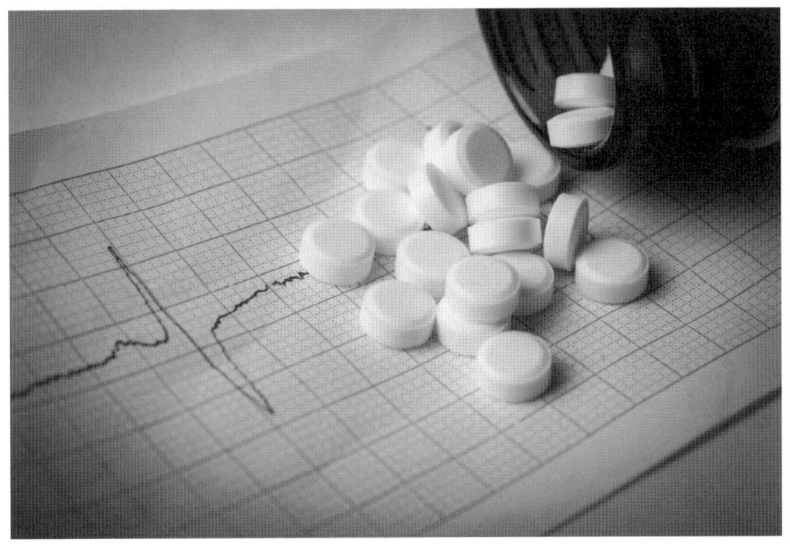

니트로글리세린은 심근의 근육층을 지나는 비교적 큰 동맥을 확장해 혈액 순환이 잘 되지 않는 부분에 피가 잘 흐르도록 해주는 효과로, 이후 수많은 인명을 구했다. © Oksix | Dreamstime.com

끼고 의아하게 생각했다. 더구나 이 기름 한 방울을 비커에 넣고 가열하는 순간 비커가 즉시 폭발하면서 산산조각 나버리자 그는 기겁하지 않을 수 없었다. 이 두 가지 관찰이 인류에게 끼칠 엄청난 영향을 그 순간 그는 몰랐을 것이다.

그해 여름 소브레로는 자기가 경험한 내용을 프랑스 과학잡지에 발표하여 세계의 이목을 끌었다. 이를 본 미국의 한 의과대학 교수 콘스탄틴 헤링은 니트로글리세린을 의약으로 사용할 수 있겠다고 생각했다. 그는 잘 알던 화학자가 합성한 니트로글리세린 한 방울을 자기 혀끝에 묻혀보았다. 역시 관자놀이가 심하게 떨리더니 강한 두통이 엄습했다. 여러 가지 시도 끝에 헤링은 한 방울의 300~500분의 1 정도 되는 양을 설탕과 섞어 혀 밑에 투여하는 복용법을 실험하여 니트로글리세린을 심부전증 치료에 사용할 수 있다는 결론을 내렸다. 그러나 당시만 해도 세계의 중심과는 거리가 멀었던 미국에서 수행된 실험이라 이 결과는 세계적인 인정을 받지 못했다.

한편 니트로글리세린의 폭발성을 이용해 폭약 제조 공장을 세웠던 스웨덴의 임마누엘 노벨의 이야기는 이와 매우 대조적이다. 그는 니트로글리세린 공장을 세우고 가동을 시작한 후 며칠도 되지 않아 폭발사고로 공장이 파괴되고 아들마저 잃는 불운을 겪었다. 워낙 폭발성이 강한 니트로글리세린은 용기를 흔들기만 해도 터져버릴 정도여서 운반하는 데 어려움이 컸다. 그러던 중 그의 아들 알프레드 노벨을 엄청난 부자로 만들어준 사건이 발생했다. 이 위험한 약제를 안전하게 수송하기 위해 용기가 흔들리지 않도록 톱밥이나 규조토를 사용했는데, 쇠통 속에서 새어나온 니트로글리세린을 규조토가 모두 흡수해 상자 밖으로 전혀 새어나오지 않게 되었다. 작업자로부터 이에 대한 보고를 받은 알프레드 노벨은 이 현상을 이용하여 규조토에 니트로글리세린을 흡수시킴으로써 운송뿐 아니라 사용까지 편리한 다이너마이트를 발명했다.

다시 니트로글리세린을 의약용으로 사용하는 이야기로 되돌아가면, 헤링의 발표에도 불구하고 니트로글리세린의 약효를 의심하는 사람들이 많았다. 니트로글리세린이 인체에 끼치는 영향에 대한 상반된 견해 때문이었다. 어떤 사람은 니트로글리세린 몇 방울로 심부전증에 효과를 보았다고 하는가 하면, 어떤 사람은 200방울을 섭취해도 아무런 효과가 없었다는 전혀 다른 결과를 보고하기도 했다. 왜 이렇게 효과가 달랐을까. 답은 간단했다. 복용 방법이 달랐기 때문이다. 니트로글리세린을 마시면 소장에서 흡수된 후 간에서 분해되어버리기 때문에 아무런 약효가 없으나 혀 밑에 투여하면 곧바로 혈액 속에 들어가 심장으로 운반되어 효과를 낸다.

1879년 영국 의사 윌리엄스 밀러는 니트로글리세린은 복용법에 따라 약효가 다르며, 혀 밑에 투여하면 협심증 환자에게 극적인 치료 효과가 있다는 내용의「협심증 치료약 니트로글리세린」이라는 논문을 의학잡지에 발표했다. 영국에서 발표된 이 논문은 헤링의 보고와는 달리 곧 세계적 이목을 끌었다.

니트로글리세린은 심근의 근육층을 지나는 비교적 큰 동맥을 확장해 혈액 순환이 잘 되지 않는 부분에 피가 잘 흐르도록 해주는 효과로, 이후 수많은 인명을 구했다. 폭약과 심장약, 전혀 관계가 없을 것 같은 이 두 가지를 니트로글리세린의 화학이 단단히 묶어주고 있다.

두 유대인 화학자의
엇갈린 운명

아세톤과 염소는 현대 화학 공업에서 없어서는 안 될 중요한 화학 제품이다. 끓는점이 56도인 아세톤은 용제로 널리 쓰이는데 우리 주위에서 흔히 볼 수 있는 여성들의 매니큐어 제거제다. 그뿐 아니라 폴리카보네이트와 아크릴수지의 원료 등을 만드는 데도 쓰이는 중요한 출발 물질이다. 염소는 끓는점이 영하 34도인 엷은 황록색 기체로 물의 소독, PVC원료, 드라이클리닝제 제조 등에 광범위하게 사용된다.

성질이나 용도 면에서 볼 때 이 두 화학 물질은 별로 관련이 없다. 하지만 제1차 세계대전 중에 유대인 과학자 두 명이 각각 연합군과 독일군 측에서 이 화학 제품으로 전쟁에 공헌했다는 공통점이 있다. 하임 바이츠만과 프리츠 하버가 바로 그들이다.

제1차 세계대전이 시작되자 영국에서는 아세톤 부족으로 무연화약 제조에 문제가 생겼다. 무연화약 원료인 니트로셀룰로오스를 잘 녹이는 아

1. 화학으로 살펴보는 역사 이야기

세톤은 화약 제조에 필수적이었다. 그때까지 영국에서는 목재를 증류할 때 나오는 초산을 석회석과 반응시켜 초산칼슘을 만들고, 이를 건류하여 아세톤을 제조하고 있었다. 그러나 잉글랜드 제도에는 나무가 그리 없었고, 해외에서 목재를 들여오기도 어려웠기 때문에 아세톤 공급 사정은 점점 악화될 수밖에 없었다.

그 무렵 바이츠만은 인조 고무를 만들기 위한 연구를 하고 있었는데, 어느 날 설탕에서 인조 고무를 만들기 위한 세균을 찾다가 우연히 설탕을 아세톤으로 변화시키는 박테리아를 발견했다. 영국 육군성이 전쟁에 도움이 될 수 있는 모든 발명이나 발견을 보고하라는 공문을 전체 과학자에게 보냈기 때문에 바이츠만은 즉시 자기가 발견한 아세톤의 새로운 제조법을 보고했다. 그러나 그때까지만 해도 아직 아세톤이 부족하지 않은 전쟁 초기여서 육군성은 바이츠만의 보고서에 관심을 보이지 않았다.

시간이 갈수록 전쟁이 치열해지자 아세톤 제조의 원료인 나무의 수송 자체가 막혀버렸고, 탄약은 그만큼 부족해졌다. 그제야 바이츠만은 영국 정부의 지원을 받아 나무 대신 곡물에서 뽑아낸 녹말을 당으로 바꿔 아세톤을 만들고자 했다. 또한 윈스턴 처칠로부터 아세톤을 대량 생산할 수 있는 공정개발을 부탁받아 이를 성공시켰다. 바이츠만의 공로는 군수 장관이던 로이드 조지(후에 영국 수상)와 외무장관이던 아서 제임스 밸푸어는 물론 영국 왕실에까지 전해졌다.

유대 민족주의자였던 바이츠만은 어떻게든 자신의 업적을 보상하려는 영국정부로 하여금 1917년 유명한 밸푸어선언을 승인하게 만들었다.

바이츠만

로마에 의해 왕국이 멸망한 후 거의 2000년 동안 세계 각지에 흩어져 살던 유대인들은 선조들의 땅인 팔레스티나에 조국을 재건하려는 꿈을 이루기 위해 오랫동안 노력해왔다. 밸푸어선언은 "영국정부는 팔레스티나에 유대인의 조국 건설을 위해 최선의 노력을 하겠다"는 엄청난 내용이었다. 이를 초석으로 하여 1948년 이스라엘이 탄생했고, 바이츠만은 이듬해 초대 대통령이 되었다. 화학자 대통령인 바이츠만의 업적과 뜻을 기려 설립한 이스라엘의 '바이츠만 연구소'는 현재 세계적으로 유명한 연구교육기관으로 인정받고 있다.

바이츠만과는 대조적인 삶을 산 하버는 세계대전 당시 이미 세계적으로 명성을 떨치고 있었으며, 베를린대학 교수였던 발터 네른스트와 전쟁용 독가스 개발 연구에 참여하고 있었다. 제1차 세계대전 초기에 독일은 재래식 전투법에 회의를 느끼고, 새로운 전투법으로 독가스 사용을 검토하기에 이르렀다. 하버는 여러 실험을 거쳐 염소 기체 사용을 독일 육군성에 제안했고, 이는 곧 받아들여져 전장에서 실험(?)하게 되었다. 염소 기체는 공기 중에 50ppm만 있어도 30분에서 1시간 이내에 동물의 생명을 위협하며, 1000ppm에 이르면 짧은 시간 내에 생명을 앗아가는 맹독성 기체다. 염소 기체 사용은 엄청난 수의 연합군을 희생시켰으나 다행

1. 화학으로 살펴보는 역사 이야기

히 독일군이 널리 사용하지는 않았다. 그 살상 위력을 잘 몰랐거나, 풍향이 항상 자기 측에 유리하지만은 않음을 독일군이 알아차렸을 것이다.

하버

하버는 원래 질소와 수소를 반응시켜 암모니아를 제조하는 공정을 완성함으로써 화학공학의 전기를 마련했고, 그 공로로 1918년에는 노벨 화학상을 받았다. 그는 유대인임에도 전쟁에 기여한 공로로 독일정부로부터 많은 표창과 상훈을 받았으며, 독일 최대의 연구소인 카이저 빌헬름 연구소 소장으로 활동했다. 하지만 히틀러가 집권하며 유대인 학살이 시작되자 제1차 세계대전의 영웅인 하버도 비운을 맞을 수밖에 없었다. 나중에 영국이 스위스에서 병들어 누워 있던 그를 초청하여 케임브리지에서 살게 하려 했으나, 심장병에 시달리던 하버는 결국 스위스에서 예순여섯의 나이로 쓸쓸히 생을 마감했다.

과학적 우수성보다 휴머니즘의 가치가 얼마나 큰가를 말해주는 두 유대인 과학자의 삶은 우리 과학자들에게도 많은 것을 생각하게 한다.

골프공,
화학과 물리의 합작품

골프채는 모양이 각양각색이고 골프공은 하나같이 이상하게도 표면이 옴폭옴폭 패어 있다. 왜 그럴까? 또 골프공은 무엇으로 만들까? 이러한 물음에 답하기 전에 우선 골프공의 변천에 얽힌 재미있는 얘기를 조금 살펴보자.

골프 경기가 처음으로 크게 유행한 14세기의 골프공은 원래 회양목으로 만든 나무공이었다. 그러나 회양목 골프공은 멋진 소리에 비해 멀리 날아가지는 못했다. 17세기에는 쇠가죽을 바느질해 만든 껍데기 속에 삶은 깃털을 채워서 말린 후 나무망치로 두들겨 둥그렇게 만들었다. 물론 그때도 겉은 하얗게 칠했다. 이렇게 만든 골프공은 나무공보다는 멀리 날아가 골퍼들의 사랑을 받았으나 공을 더 멀리 날리고 싶은 골퍼들의 염원은 채워지지 않았다.

19세기 중엽에 골프공 표면을 울퉁불퉁하게 만들면 공이 더 멀리 날

1. 화학으로 살펴보는 역사 이야기

아간다는 것을 발견했고, 20세기 초인 1908년 미국 스폴딩사가 드디어 지금과 같은 골프공을 시판하기 시작했다. 이후에도 골프공의 재질 및 표면 딤플(dimple: 옴폭옴폭 들어간 곳)의 크기와 깊이가 공이 날아가는 거리에 어떤 영향을 주는지 등에 대한 연구가 꾸준히 계속되었다. 그리고 1975년에는 물리학자와 화학자의 공동 노력으로, 딤플이 골프공 표면의 약 50퍼센트를 차지하고, 공 위아래 부분의 딤플을 가운데 부분의 딤플보다 더 깊게 만들면 역회전(타격 반대 방향으로 회전)할 뿐 아니라 좌우로 튀는 것을 방지해 똑바로 멀리 나는 공을 만들 수 있다는 것을 발견했다. 이처럼 공의 디자인이 자주 바뀌자 골프협회는 1988년 공의 규격을 세계적으로 통일했다. 크기, 무게, 대칭성, 초기 속도, 전체 비거리 등 다섯 항목에 관한 상세한 규정을 만들어 공을 엄격하게 규제한 것이다.

현재 가장 많이 사용되는 골프공은 2층공과 3층공이다. 2층공은 폴리부타디엔 고무를 가황하여 중심부를 단단하게 만들고, 고무 표면을 고탄성 특수수지로 피복했다. 3층공은 가운데에 고무로 된 중심부가 있고, 가는 실 모양의 고무줄을 열 배 정도로 당기면서 이 중심부를 칭칭 둘러 감은 두 번째 층이 덮고 있다. 표면은 특수수지로 씌웠는데, 피복에는 이오노머라는 특수 합성수지와 구타페르카라는 천연고무를 사용한다. 이렇게 만든 3층공은 타구감과 컨트롤 특성이 좋아 프로 골퍼들이 애용하고 있다.

그런데 피복에 딤플을 만들면 왜 공이 멀리 갈까? 딤플이 있는 공을 역회전하도록 타격하면, 공의 뒷부분 공기압력이 아랫부분보다 낮아진다.

이후에도 골프공의 재질 및 표면 딤플의 크기와 깊이가 공이 날아가는 거리에 어떤 영향을 주는지 등에 대한 연구가 꾸준히 계속되었다. © Mikael Damkier I Dreamstime.com

따라서 공은 더 오랫동안 하늘에 머물게 되고 훨씬 멀리 날아간다. 언뜻 생각하면 딤플이라 불리는 움푹 파인 곳이 날아가는 골프공의 공기저항을 크게 할 것 같지만, 실제로는 공기저항을 감소시키고 양력에 의해 비거리를 늘려준다. 타격할 때 큰 반발력을 보여주는 재료를 선택하고 비행 중에 작용되는 마찰을 조절하는 것, 즉 화학과 물리의 합작이 오늘날 사용하는 골프공을 만들어냈으니 이 얼마나 기막힌 조화인가.

죽음에 이르게 하는
독성 화학 무기

2003년 미국과 영국이 이라크를 상대로 벌인 전쟁이 끝나자 이라크의 전후 복구에 세계적 관심이 쏠렸다. 더욱이 이라크가 화학 무기와 세균성 생물 무기를 보유하고 있을 거라는 추측이 많았기 때문에 그것들이 어디에 숨겨져 있는지는 걱정거리일 수밖에 없었다. 이라크 정부는 1988년 이라크 북부 쿠르드족 마을에 독성 기체를 살포하여 여성과 아이들을 다수 희생시켰다는 의심을 받고 있었으며, 그보다 몇 년 전에 있었던 이란-이라크 전쟁에서는 사린이라는 독성 화학 무기를 사용했다는 의혹도 샀다. 당시는 이를 직접 증명하지 못했으나 1993년 미국의 인권단체 소속 제임스 브리스코라는 고고학자가 쿠르드족 마을의 폭격 구덩이 흙과 유산탄 파편을 한 영국기관에 보내 분석한 결과, 흙에서 사린의 유도물질을 찾아냈고 파편 겉의 페인트에 흡수되어 있던 사린도 검출했다.

1995년 3월에는 출근시간 중 일본 도쿄 지하철에 사린이 살포되었다.

대량 살상의 가능성 때문에 화학 무기 사용을 억제하기 위해서 1925년에는 제네바조약이 체결되었지만 이란-이라크 전쟁이나 아프가니스탄 분쟁 등에서는 소규모로 사용된 적이 있다. © Ultrapop | Dreamstime.com

일본을 공포의 도가니로 몰아넣은 이 테러는 옴진리교 맹신자들이 사린으로 판명된 독극물을 플라스틱 백에 넣고 신문지로 둘둘 말아 지하철 바닥에 놓아둔 일로 5000명 이상이 이 독극물에 노출되었고 12명이 죽었다. 그나마 그들이 사용했던 사린의 순도가 30퍼센트 정도밖에 되지 않았고, 포함되어 있던 불순물의 자극성 냄새 때문에 희생이 적었다.

　사린은 인과 플루오르(불소)를 포함하는 화합물로 비교적 쉽게 합성할 수 있다. 무색의 액체인 사린은 끓는점이 섭씨 147도나 되지만, 독성이 강해 조금만 휘발해도 치명적이다. 사람이 사린 1밀리그램(1000분의 1그램)만 흡입해도 사망할 정도로 사린은 중추신경 및 허파와 심장의 근육

　　　　　　　　　　　　1. 화학으로 살펴보는 역사 이야기

도 마비시킨다. 그럼에도 사린 자체는 냄새가 거의 없어 사람들이 알지도 못하는 사이에 죽음에 이르게 하는 무시무시한 독극물이다. 사린 중독의 첫 증상은 시력의 부분적 상실인데, 눈의 신경과 근육을 마비시키기 때문이다. 다행히 사린은 알칼리용액과 접촉시키면 쉽게 파괴되어 독성을 잃는다. 한 예로 식용 소다와 락스 혼합물을 사린에 섞으면 비휘발성, 무독성 화합물로 변한다.

사린은 독일 화학자 게르하르트 슈라더가 1937년 IG파르벤사에서 살충제 개발을 위한 연구를 하던 중에 발견했다. 제2차 세계대전이 끝나자 IG파르벤은 모든 기록을 파기해 은폐하려 했으나 훗날 뉘른베르크 재판에서 나치들이 돼지와 원숭이뿐만 아니라 유대인 포로수용소 수감자에게까지도 신경가스 실험을 했다는 모든 사실이 밝혀졌다. 그러나 다행히도 그들은 전쟁터에서 사린을 사용하지는 않았다. 영국 화학자들도 제2차 세계대전 중 인 화합물에 관한 연구를 수행했으나 제1차 세계대전 때 화학 무기로 사용한 포스겐과 겨자가스보다도 독성이 약해, 연합군은 사린보다 덜 효과적인 포스겐과 겨자가스를 생산하여 비축하고 있었다.

독성 기체를 전쟁에 사용한 시초는 독일 프리츠 하버의 염소 발명에서 비롯되었다. 하버는 질소와 수소를 반응시켜 암모니아를 만드는 공정을 완성한 공로로 1918년 노벨 화학상까지 받은 유명한 화학자였는데, 제1차 세계대전이 시작되어 독일이 전쟁에 독가스 사용을 검토하자 그도 독가스 개발연구에 참여했다. 염소가스의 독성을 알게 된 하버는 염소의 사용을 독일군부에 추천했고, 결국 연합군에게 큰 피해를 입혔다. 바로

이 염소를 우리는 수돗물 소독에 사용하고 있다.

　대량 살상의 가능성 때문에 화학 무기 사용을 억제하기 위해서 1925년에 제네바조약이 체결되었지만 이란-이라크 전쟁이나 아프가니스탄 분쟁 등에서는 소규모로 사용된 적이 있다. 그러나 어떠한 경우라도 화학 무기가 더 이상 사용되어서는 안 된다. 사회와 대중이 화학을 외면하지 않게 하려면 화학자들이 무엇을 어떻게 해야 할지 고민할 때다.

플라스틱,
새로운 시대를 열어가다

인류 문명의 발달사와 연관 지어 각 시대마다 돈을 어떤 재료로 만들었는가를 살펴보면 재미있다. 당연히 물물교환 시대에는 돈을 사용하지 않았다. 그러다가 석기 시대에는 예쁜 돌이나 조개류를, 청동기 시대에는 동전을, 철기 시대에는 철전을 사용했고, 종이 제조 및 인쇄술의 발달로 종이돈을 사용하기에 이르렀다. 그리고 지금 우리는 플라스틱 돈을 사용한다. 오늘날 누구나 사용하는 크레디트카드가 바로 플라스틱으로 만들어져 있지 않은가? 더구나 오스트레일리아, 루마니아 등은 종이돈 대신 플라스틱 필름에 인쇄된 돈을 사용하고 있다. 이는 전혀 놀랄 일이 아니다. 지금 우리는 플라스틱 시대, 즉 합성 고분자 시대에 살고 있기 때문이다. 1980년대 중반을 기점으로 인류는 철재보다 플라스틱 재료를 더 많이 사용하기에 이르렀다.

플라스틱 중에서도 폴리에틸렌(PE)의 소비량이 가장 많은데, PE는 포

플라스틱 제품으로 인한 환경 오염이 큰 걱정거리로 떠오르지만 PE의 우수한 성질과 저렴한 가격 때문에 그 소비량은 늘어만 가고 있다. © Ermess | Dreamstime.com

장용 필름, 쓰레기봉투와 쇼핑백, 전깃줄 절연피복, 장난감, 용기, 파이프, 평판, 특수 섬유 및 기타 가정용품 등의 다양한 제조에 사용되고 있다. 우리가 자주 보는 온실과 농업용 플라스틱 필름도 PE다. 따라서 계절에 관계없이 온갖 채소와 과일을 즐길 수 있는 것도 PE 덕분이다. 플라스틱 제품으로 인한 환경 오염이 큰 걱정거리로 떠오르지만 PE의 우수한 성질과 저렴한 가격 때문에 그 소비량은 늘어만 가고 있다.

　PE의 용도에 관한 하나의 숨겨진 얘기가 있다. 제2차 세계대전 중에 영국군이 독일 전투기들의 항로를 정확히 알고 그에 대응할 수 있었던

1. 화학으로 살펴보는 역사 이야기

것은 막 개발된 레이더 덕분이었다. 그런데 레이더 개발 초기에는 알맞은 절연체를 찾기가 힘들었다. 다행히 전쟁이 발발하기 직전에 ICI사가 생산하기 시작한 PE가 고진동 장치에 사용할 수 있는 우수한 절연체임을 발견했다. PE의 공헌이 없었다면 영국이 독일군의 폭격을 견뎌낼 수 있었을지 많은 역사가들조차 의심할 정도이니, PE가 제2차 세계대전에서 세운 전공은 전쟁사에 길이 빛날 일이라 하겠다.

그런데 ICI사는 어떻게 PE를 제조하게 되었을까? ICI의 연구원들은 처음부터 PE 제조 연구에 심혈을 기울였을까? 얘기는 전혀 다른 방향에서 시작한다.

1933년 ICI사 연구진은 네덜란드로부터 새로 구입한 고압 장치를 사용하여 에틸렌 기체가 고압에서 어떤 성질을 갖는지를 연구하고 있었다. 그런데 이상하게도 때때로 에틸렌 기체가 중합하여 PE가 되곤 했다. 이 중합 반응의 재현성이 매우 나빠서 ICI 연구진은 원래의 연구 목표에서 벗어나 왜 어떤 때는 PE가 생기고, 어떤 때는 PE가 생기지 않는지를 밝히기로 했다. 많은 시도 끝에 새로 들어온 고압기가 깨져 아주 작은 틈이 있는 것을 발견했다. 즉 때때로 그 틈으로 산소가 알맞게 스며들어 에틸렌 기체를 중합하게 만들었던 것이다. 그러나 알맞은 양이 얼마인지를 알아내는 것이 그리 쉽지는 않았다. 산소를 소량 넣으면 중합이 잘 진행되지 않았고, 너무 많은 양을 사용하다 공장이 폭발한 적도 있었다.

이렇게 피땀 어린 역사를 거쳐 개발된 플라스틱이 오늘날 새로운 시대를 열었다.

접착제가 인류에
가져다준 것들

바빌론의 네부카드네자르는 3500년 전 건물을 지을 때 역청을 사용했다. 바벨탑 건축에도 같은 접착제를 사용했는지 모를 일이다. 고대 이집트인들은 가구를 만들 때 아라비아 껌, 계란 흰자와 동물성 아교를 사용했다. 또 밀가루 반죽으로 파피루스를 만들기도 했다. 중세엔 이런 접착 기술을 잃어버렸으나, 16세기 들어 가구에 다시 동물성 아교를 접착제로 사용하게 됐다.

그후 20세기까지 접착제의 기술 발전은 그리 많이 이루어지지 않았다. 제1차 세계대전 중에는 배나 비행기 제조에 사용하는 합판을 만들 때 카세인과 혈액 알부민이 쓰였다. 제2차 세계대전 중에는 접착제의 사용량과 종류가 급증했다. 구두를 꿰매고 못질해 만들던 시절이 지나 지금은 90%를 접착제에 의존한다.

끈적거리는 물질이라고 모두 접착제로 좋은 것은 아니다. 예를 들면

씹는 껌이 접착제로 신통치 못한 것은 누구나 잘 안다. 접착제로 쓰이려면 자기들끼리보다 접착시키려는 표면에 더 강하게 들러붙어야 한다. 다시 말해 응집력보다 접착력이 커야 한다. 흔히 쓰이는 에폭시 접착제는 에폭시 수지와 경화제가 각각 다른 튜브에 들어 있어 사용할 때 이 둘을 섞어야 하는데, 금속과 나무, 콘크리트, 유리, 세라믹스, 플라스틱 등 여러 가지에 좋은 접착제다. 그러나 깨지기 쉽다는 단점이 있다. 폴리초산 비닐 접착제는 우유같이 유화된 액체여서 대개 짜낼 수 있는 플라스틱 튜브나 병에 담아 시판하고 있으며, 종이나 마분지 같은 다공성 표면에서는 응고 시간이 짧지만 연마한 나무 표면이나 세라믹처럼 매끈한 표면에서는 응고 시간이 길다. 그러나 이 접착제는 가열하면 물러진다. 이밖에 고무류의 접착제도 자주 눈에 띈다. 요소-포름 알데히드 접착제는 합판 제조에 사용하며, 페놀-포름 알데히드 접착제는 선박 및 세간 제조와 자동차 브레이크 라이닝 제조에 쓰인다.

뭐니 뭐니 해도 지하철이나 버스 안의 잡상인들이 많이 파는 순간 강력 접착제가 으뜸이다. 도대체 그 투명하고 맑은 물 같은 액체가 접착제라니, 어떻게 해서 순간적으로 경화될 뿐 아니라 그렇게 아무것이나 강력하게 접착시킬까? 사실 용기 속 액체 자체는 접착력이 없는 화합물에 불과하나 그 액체가 밖으로 나오는 순간 공기 중 수분과 반응을 하여 접착력이 큰 고분자를 만드는 화학 반응을 한다. 짧게는 10초, 길어야 2분 안에 접착이 끝난다. 이는 주로 2-시아노아크릴산 메틸이라는 화합물이며, 2-시아노아크릴산 에틸이나 부틸을 사용하기도 한다. 접착제 두께가

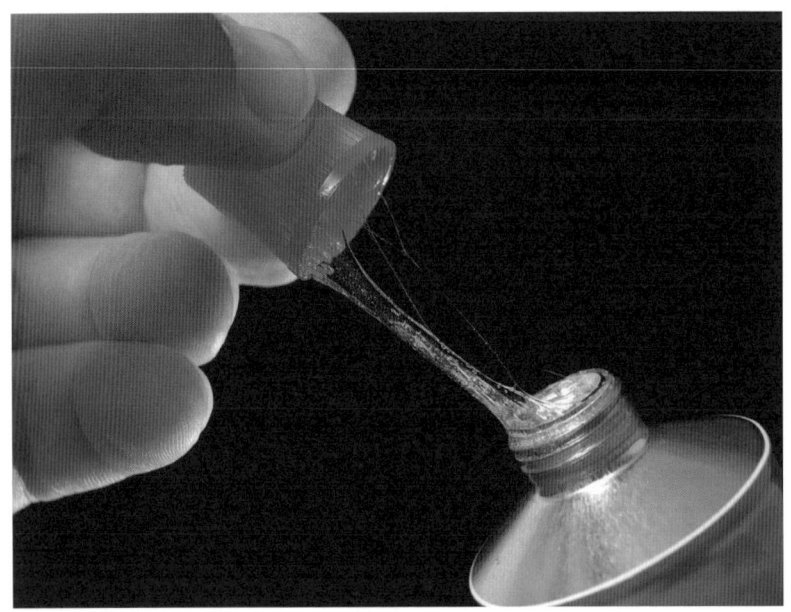

사실 용기 속 액체 자체는 접착력이 없는 화합물에 불과하나 그 액체가 밖으로 나오는 순간 공기 중 수분과 반응을 하여 접착력이 큰 고분자를 만드는 화학 반응을 한다. © Sinisa Botas | Dreamstime.com

0.5mm 이하일 때 접착력이 매우 강하며 어디든지 잘 붙지만 접착 부분이 깨지기 쉽고, 열과 수분에 강하지 못한 단점이 있다.

이 액체는 증발하면 독성 기체가 되고 경화가 너무 빨라 위험한 점이 있으니 조심해야 한다. 이 화합물은 공기 중 2ppm 이하만 허락된다. 또한 이 접착제는 피부에 강하게 들러붙어 없애기 어려운데, 미국에서는 이 접착제를 갖고 놀던 어린 소녀의 눈에 접착제가 뿜어들어가 눈이 붙

1. 화학으로 살펴보는 역사 이야기

어버리는 사고가 났을 정도이다.

알게 모르게 접착제가 인류에 가져다준 편리함이란 참으로 놀랄 만하다. 더구나 모든 접착제가 고분자 재료임을 생각하면 고분자 재료가 얼마나 고마운지 다시 한번 느끼게 된다.

가스등을 만든
빛의 신

가로등은 낭만의 상징물로, 아름다운 사랑 얘기를 다룬 소설이나 영화의 제목에도 종종 등장한다. 어두운 밤길을 밝히기 위해 켜놓은 가로등은 수많은 추억을 떠올리게 하는 마력을 지니고 있다. 가로등이 언제부터 사용되었는지는 분명치 않으나 런던에서 이미 14세기 초에 밤마다 등불을 내걸었다는 기록이 있다. 1726년에는 런던 시의회가 저녁 6시부터 밤 11시까지 거리 가까이 있는 집에 램프를 내걸도록 했으며, 이를 지키지 않으면 벌금까지 물게 했다고 한다. 물론 이때 사용한 것은 기름 램프였다. 그 후 19세기 초에 스코틀랜드인 윌리엄 머독이 가스등을 만들었다.

농부이자 목수였던 머독은 어려서부터 발명가적인 자질이 남달랐다. 어느 날 그가 밭에서 캐낸 토탄을 어머니가 사용하던 토기에 넣고 가열하다가 주둥이에서 나오는 연기 같은 가스에 불을 붙였더니 노란 불꽃을 내며 탔다. 그 후 머독은 주전자 주둥이에 구멍을 몇 개 뚫은 골무를

1. 화학으로 살펴보는 역사 이야기

머독이 얻은 석탄가스는 메탄과 수소 기체가 주성분이었다. 공기를 차단하고 석탄을 가열하면 석탄가스와 콜타르가 나오며 코크스가 남는다. © Martha Andrews | Dreamstime.com

끼우고 불을 붙이면 불빛이 밝아진다는 것을 알아내 버너를 발명했으며, 최초로 가스 공장도 세웠다.

머독이 얻은 석탄가스◆는 메탄과 수소 기체가 주성분이었다. 공기를

◆
석탄에서는 석탄가스 외에도 합성가스를 얻을 수 있다. 석탄을 고온에서 스팀과 반응시키면 일산화탄소와 수소 혼합기체가 생기는데 이를 합성가스라 부른다. 그 자체로는 연료 가치가 그리 크지 않지만 이 합성가스에 수소를 더 혼합하고, 니켈 촉매를 사용하여 반응시키면 메탄가스가 생긴다. 메탄가스는 천연가스의 주성분이며 화석 연료 중 가장 깨끗한 연료로 우리 가정에서 널리 사용되고 있다.
이 밖에 석탄을 액화시켜 사용하기 편리한 연료로 바꾸려는 연구도 진행되고 있다. 고갈 중인 석유의 소비를 억제하기 위해서라도 매장량이 석유의 열 배나 되는 석탄에 대해 더욱 연구를 많이 해야 한다.

가스등을 만든 빛의 신

차단하고 석탄을 가열하면 석탄가스와 콜타르가 나오며 코크스가 남는다. 석탄가스와 코크스는 현재도 유용한 연료로, 특히 강철 제조에 주로 쓰인다. 콜타르는 여러 가지 방향족 화합물을 함유하고 있어서 지금처럼 석유화학 공업이 발전하기 전에는 유기 화학 공업의 주원료였다. 이 기술은 지금도 일부 사용되고 있다.

머독에게 가스 조명을 성공적으로 보여줄 절호의 기회가 찾아왔다. 1802년 영국과 프랑스가 평화조약을 맺어 이를 축하하는 행사가 열렸을 때 머독은 자기가 일하고 있던 공장 건물을 가스 조명으로 찬란하게 장식했다. 이 화려한 광경을 보기 위해 몰려든 사람들은 찬사를 아끼지 않았으며, 석탄가스로 조명을 얻는 머독의 방법이 널리 보급되어 런던 거리에 가스등이 설치되기에 이르렀다.

1873년에는 페르시아의 왕이었던 나세르 웃딘이 런던을 방문했는데, 그에게도 가스등이 매우 인상적이었던 모양이다. 가스등 발명가가 누구냐고 물은 왕은 머독이라는 대답에 깜짝 놀랐다. 머독은 페르시아인들이 숭배하는 빛의 신 마르두크와 비슷한 이름이었기 때문이다. 왕은 틀림없이 빛의 신 마르두크가 스코틀랜드의 가스등 발명가 머독으로 환생했다고 믿었다. 그래서 왕은 그의 초상화를 궁전에 걸도록 명령했다고 한다.

게노믹스와
신약 개발

이미 기원전 4세기경에 히포크라테스는 버드나무 껍질을 끓여 만든 차의 해열 작용을 설명했다. 1763년에는 에드먼드 스톤이라는 영국의 성직자가 똑같은 관찰을 런던 왕립학회에 발표함으로써 버드나무 껍질에 들어 있는 해열제에 관한 연구를 자극했는데, 수종이 흰버드나무(Salix alba)였기 때문에 약효의 주성분을 살리신(salicin)이라 불렀다.

살리신의 나쁜 맛과 위를 자극하는 산성 때문에 많은 화학자들이 이 문제의 해결에 경쟁적으로 뛰어들었고, 최종적인 영광은 독일 바이엘사에서 일하던 펠릭스 호프만과 그의 동료 드레제르에게 돌아갔다. 두 사람은 1893년 살리실산의 초산에스테르인 아세틸살리실산의 정제법을 발견해 1899년부터 바이엘사가 분말형 아스피린을 시판하기 시작하였고, 알약 형태로는 1915년부터 시판하였다. 현재 전 인류가 하루에 먹는 정제 아스피린(325~650밀리그램)이 무려 1억 알이 넘는다니 정말 놀라운 일이다.

인류는 오랜 시행착오를 거치며 천연물로부터 약리 작용을 지닌 성분을 섭취하면서 병마와 싸워왔고, 현대 의학과 약학이 발전함에 따라 정제 혹은 합성된 순수 화합물을 복용하게 되었다. 이 과정에서 화학자들의 공헌은 절대적이었다.

예전에는 환자를 직접 실험 대상으로 삼았다. 그러나 지금은 인비트로(in vitro) 예비 시험을 거쳐 쥐, 침팬지 등 동물 실험을 통과한 후에야 비로소 사람을 상대로 하는 3단계 임상 실험을 할 수 있다. 이 과정에서 보통 1만 개당 20개 정도가 동물 시험에 들어가고, 그중 반 정도가 임상 실험 대상이 되어 최종적으로 한 개 정도의 시판이 허락된다. 이 과정을 통과하는 데는 보통 10년 이상이 걸리며, 발견에서 판매 허가를 획득하기까지는 미국의 경우 평균 3억 5000만 달러(4000억 원) 이상이 소요된다. 그렇다고 판매 허가가 새로운 약의 장래를 보장하는 것은 아니다. 한 예로 미국에서 시판되었던 항생제 테마플록사신을 들 수 있다. 부작용이 보고된 테마플록사신은 시판 허가 후 4개월 만에 판매 허가가 취소되었다.

환자를 대상으로 하는 임상 실험에만 6년 정도가 걸리므로 신약의 신속한 개발 및 판매 허가를 위해서는 이 기간의 단축이 필수적인데, 연구자들은 동물을 상대로 한 실험 결과가 인간에게도 그대로 적용되기를 바라왔다. 불행히도 이런 기대는 이루어지기 힘들게 되었다. 최근 발표에 따르면 생쥐와 쥐의 게놈서열이 인간 게놈서열과 여러 면에서 차이가 나기 때문이다. 생쥐의 게놈은 25억 DNA 문자를 지녀 인간 게놈보다 14퍼

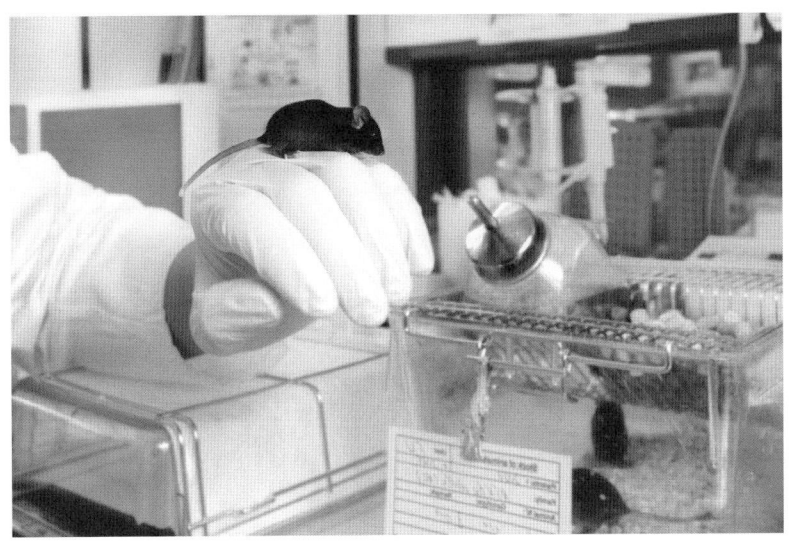

신약의 신속한 개발 및 판매 허가를 위해서는 이 기간의 단축이 필수적인데, 연구자들은 동물을 상대로 한 실험 결과가 인간에게도 그대로 적용되기를 바라왔다. © Anyaivanova | Dreamstime.com

센트나 적으며, 특히 취각, 면역 및 생식에 관계되는 게놈에 가장 큰 차이를 보인다. 이런 차이 때문에 생쥐는 일부 인간의 질병에 면역성을 보이며, 새끼를 많이 낳고, 사람보다 냄새를 잘 맡는다. 생쥐에 비해 쥐는 사람의 게놈서열과 90퍼센트 정도가 비슷하다.

따라서 생쥐나 쥐를 신약 실험에 사용하는 것이 적합한지에 대해 의문이 제기된다. 예를 들어 담즙으로 약이 배설될 경우 쥐를 사용하면 쥐는 쓸개가 없으므로 그 반감기가 크게 줄어들어 잘못된 판단이 내려질 확률이 높다. 또 가장 중요한 약물 분자 활성의 차이가 신진대사상의 차이에 있다는 점이다.

아직 게놈서열이 완전히 다 밝혀지지는 않았으나 침팬지의 게놈서열은 약 98퍼센트가 사람과 유사하다. 그런데도 침팬지는 사람들이 고생하는 말라리아나 AIDS에 전염되지 않는다. 이는 극단적으로 말해서 침팬지조차도 임상 실험에서 사람을 대체하기 어렵고, 따라서 동물 실험 결과에 따라 사람을 상대로 하는 임상 실험을 허가해주는 것이 타당한가에 의문이 생긴다. 게놈 분석이 진행됨에 따라 이런 의문은 증폭될 가능성이 있어 동물의 게놈 클러스터를 인간의 게놈 클러스터로 대체하는 동물의 '인간화'까지 말하고 있으나, 그래도 생리학적 차이는 제거할 수 없기 때문에 여전히 문제로 남는다. 이래저래 신약 개발은 참으로 어려운 일이다.

토리노의
예수 수의는 가짜였다

지난 수백 년 동안 이탈리아 토리노에 있는 오래된 천을 두고 예수의 수의라는 주장이 제기되면서 그 진위를 둘러싼 논쟁이 끝없이 계속되어 왔다. 이 리넨은 14세기 중엽 프랑스에서 발견되었으며 후에 토리노로 옮겨졌다 한다. 시신의 흔적이 흐릿하게 남아 있는 길이 4미터 정도의 리넨이 예수의 시신을 묻을 때 사용한 것이라고 주장하는 사람이 많았다. 비록 1988년에 이 신화는 무너지고 말았지만, 어디까지나 과학적인 분석 결과일 뿐 현재도 예수의 수의라고 믿는 신도들이 많다.

정말 예수의 수의라면 약 2000년 전의 것일 테니, 결국 이 천의 나이가 얼마나 되었는지를 알아내면 어느 정도 그 진위를 밝힐 수 있지 않을까? 과연 화학자들은 어떤 방법으로 이 천의 나이를 알아냈을까? 이를 이해하려면 우리는 방사성 동위원소의 반감기가 무엇인지를 먼저 알아야 한다.

탄소에는 탄소-12와 탄소-13, 탄소-14라는 동위원소가 있는데, 자연

1988년 몇몇 과학자들이 이 수의가 진품인지를 밝히기 위해 천 여기저기서 우표만 한 크기로 조각을 채취한 뒤 탄소-14 분석법을 동원해 나이를 측정했다. 실망스럽게도 천의 나이는 1260~1390년밖에 되지 않는다는 결론이었다. © Perseomedusa | Dreamstime.com

계에는 대부분 탄소-12로 존재하며 탄소-13은 탄소-12의 약 1퍼센트, 탄소-14는 탄소-12의 약 1조 분의 1밖에 존재하지 않는다. 그런데 이렇게 조금밖에 없는 탄소-14가 매우 중요한 역사적 정보를 제공해준다. 탄소-14는 자연 방사능으로, 방사선을 내보내는 방사성 붕괴로 그 반이 질소-14로 되기까지는 5730년이 걸린다. 다시 말해 반감기가 5730년이라는 의미다.

탄소-14는 우주선이 만드는 중성자와 대기 중의 질소-14가 반응할 때 수소 원자와 함께 생긴다. 이렇게 생긴 탄소-14가 공기 중에 있는 산소를 만나 탄산가스가 되면 지표에 도달해서 식물의 셀룰로오스와 기타 탄수화물 성분으로 변한다. 이때 식물에서 채취되는 셀룰로오스와 탄수화물에 들어 있는 탄소-14와 탄소-12 각각의 비는 약 1.5 대 1 조이다. 그러나 식물이 죽으면 방사성 탄소인 탄소-14를 흡수하는 작용이 끝나므로 탄소-14와 탄소-12의 비율이 감소하고, 위에서 말한 반감기를 이용하여 이를 측정하면 그 동식물이 언제 죽었는지를 간단한 계산으로 알 수 있다.

이 방사능 탄소 연대 측정 방법은 1950년대에 리비 교수가 발견한 것으로, 나이가 5000년 정도까지 되는 유기물 연대 측정에 쓰여 고고인류학에 큰 공헌을 하고 있다. 우리나라에서는 오래된 종이, 고분에서 발견되는 곡물, 기타 유물의 연령 측정법으로 사용하고 있다. 윌러드 리비는 이 공로로 1960년도 노벨 화학상을 받았다.

예수의 수의 얘기로 다시 돌아가면, 1988년 몇몇 과학자들이 이 수의가 진품인지를 밝히기 위해 천 여기저기서 우표만 한 크기로 조각을 채취한 뒤 탄소-14 분석법을 동원해 나이를 측정했다. 실망스럽게도 천의 나이는 1260~1390년밖에 되지 않는다는 결론이었다. 다시 말해 이 천은 예수의 시신을 위해 사용한 수의가 아니다. 결국 그 천의 예수 영상은 13~14세기 전에 누군가가 기막히게 그려넣은 것으로 추정된다. 그럼에도 일부 기독교인들은 여전히 그 수의가 진품이라고 믿고 있다.

방사성 원소 분석에 의한 연대 측정법은 지구와 달의 나이를 알아내는 방법으로도 사용된다. 우라늄-238이 방사성 붕괴를 통해 납-206이 되는 반감기가 45억 년이다. 어느 바위 속에 들어 있는 우라늄-238이 납-206원자와 수가 똑같다면 그 바위의 나이는 45억 년이라는 이야기다. 물론 이때 그 바위 속에 들어 있는 납-206은 모두 우라늄-238로부터 생겨났다는 가정이 전제가 되나, 루비듐-87이 스트론튬-87로 방사붕괴(반감기 570억 년)하는 다른 분석법을 동원해도 같은 결론에 도달하는 것으로 보아 이 가정은 타당하다고 본다. 지표에 있는 암석을 분석한 결과 현재 지구의 나이는 35억~45억 년으로 추정할 수 있지만, 일반적으로는 45억 년 정도로 알려져 있다. 재미있는 사실은 달에서 가져온 돌을 분석했더니 역시 지구의 나이와 비슷했다는 것이다. 이러한 결과는 지구가 생긴 후 지각 변동으로 달이 지구 표면에서 떨어져 나갔다는 달 형성 가설이 옳지 않다는 것을 말해준다.

방사성 동위원소는 이같은 핵시계 외에도 산업, 식품, 화학, 의학적 진단 등에 매우 중요하게 사용되고 있다. 방사성 동위원소의 평화적 이용에 대한 일반 시민의 인식이 높아지길 바란다.

진통 해열 작용을 하는
아세트아닐리드

방향족 아민을 아세틸화시킨 화합물 중에는 의사의 처방 없이도 약국에서 쉽게 구입할 수 있는 진통제가 여러 가지 있다. 아세트아닐리드, 페나세틴, 아세트아미노펜이라고 부르는 화합물들은 비교적 약한 진통 해열제로, 모두 아스피린의 사촌쯤 된다.

아닐린과 초산을 반응시켜 만들 수 있는 아세트아닐리드가 해열 작용을 한다는 사실은 참으로 우연히 발견되었다. 지금부터 100여 년 전 미국의 칸과 헤프라는 두 의사가 구충제 연구를 하던 중 나프탈렌(악취 제거와 소독용으로 화장실에서 흔히 볼 수 있다)을 실험했다. 그 결과는 매우 실망스러웠지만 헤프 박사는 포기하지 않고, 여기저기 아프다고 불평이 심한 한 환자에게 나프탈렌을 조금 먹여보았다. 나프탈렌을 내복약으로 사용한 적은 없었으나 헤프 박사는 어디 보자는 식으로 환자에게 처방했던 것이다. 잠시 후 헤프 박사는 동료인 칸 박사에게 그 환자의 열이 기적처럼 없어졌다는 놀라운 보고를 하였다.

그런데 어떻게 된 일인지 환자에게 처방한 나프탈렌이 들어 있던 병에서는 나프탈렌 냄새가 전혀 나지 않았을 뿐 아니라 다른 병에 있는 나프탈렌은 조금도 해열 작용을 하지 않았다. 지금도 좀약으로 사용하는 나프탈렌 냄새가 얼마나 심한지 모르는 사람은 없을 것이다. 당황한 두 의사는 염료회사에서 일하고 있는 헤프의 사촌에게 이 화합물이 무엇인지 알아봐 달라고 부탁하였다. 아니나 다를까, 그 화합물은 나프탈렌과는 전혀 구조가 다른 아세트아닐리드였다. 결국 칸과 헤프는 아세트아닐리드가 진통 해열 작용을 한다는 중요한 발견을 한 셈이다. 오늘날은 동물을 이용해 약리 작용과 부작용, 독성 등을 철저히 실험한 후에나 사람에게 실험할 수 있지만 칸과 헤프 박사 시절만 하여도 그렇지 않았다.

독일 바이엘 연구소장으로 있던 카를 뒤스베르크는 칸과 헤프가 아세트아닐리드로 수행한 실험 결과를 읽고 두 눈이 둥그레졌다. 어떻게 폐기해야 할지 고민하던 파라 아미노페놀이 자기 공장에 산더미처럼 쌓여 있는데, 이를 조금만 변형시키면 아세트아닐리드와 유사한 화합물이 되므로 이 폐기물로 새로운 해열 진통제를 만들 수도 있으리라는 생각이 머릿속을 스쳤던 것이다. 당시만 해도 벤젠에 히드록시기가 달려 있는 페놀류는 독성이 강하다고 믿었기 때문에 뒤스베르크는 파라 아미노페놀의 히드록시기를 에톡시기로 바꾸고 아미노기를 아세틸화하여 페나세틴을 합성하였다. 참으로 놀라운 일이었다.

페나세틴은 아세트아닐리드보다 진통 해열 작용이 훨씬 우수하고 부

1. 화학으로 살펴보는 역사 이야기

작용도 적어 현재도 널리 사용하고 있다. 우리가 흔히 APC라고 부르는 진통 해열제는 아스피린의 A, 페나세틴의 P와 카페인의 C를 따서 짧게 부르는 이름이다. 후에 페놀의 히드록시기가 그대로 있어도 독성이 크지 않다고 밝혀지면서 파라 아미노페놀의 아미노기만 아세틸화한 아세트 아미노펜도 진통 해열제로 많이 사용되고 있다. 엑시드린, 타일레놀, 다트릴 등에는 모두 아세트아미노펜이 들어 있으며, 엠피린에는 페나세틴이 들어 있다. 타일레놀과 다트릴은 아스피린에 알레르기가 있는 사람들이 즐겨 복용한다.

그러나 아세트아닐리드를 너무 오랫동안 복용하면 메테모글로비네미아라는 병에 걸리게 된다. 이 병은 정상 헤모글로빈에 있는 철이 2가에서 3가로 바뀌어 메테모글로빈이 됨으로써 피가 정상적으로 산소를 운반하지 못하여 빈혈증을 유발한다. 페나세틴과 아세트아미노펜도 같은 증상을 일으키지만, 약효가 좋아 적은 양을 복용해도 진통 해열이 가능하므로 이런 문제가 적다.

어쨌든 겁도 없이 아무거나(?) 환자에게 먹여본 용감한 두 의사와 골칫거리를 영약으로 바꾸어 회사에 큰 득을 가져다 준 연구소장의 순발력이 얼마나 효과적으로 인류를 아픔에서 해방시켜주었던가. 어느 것 하나 무심코 넘겨버리지 않은 이 과학자들의 태도야말로 오늘날 우리나라 과학기술자들이 배워야 할 과학하는 태도가 아닌가 한다.

폭발이 갖다준 아세틸렌의 발견

캐나다의 발명가 토머스 윌슨은 알루미늄을 어떻게 하면 쉽고, 싸게 만들 수 있을까 하고 여러 가지 실험을 하였다. 당시 이 금속은 매우 비싼 편이었다. 자연계에는 알루미늄이 주로 산화알루미늄 등 화합물로 존재한다. 그는 1892년에 산화칼슘(생석회), 석탄 타르와 산화알루미늄을 용기에 넣고는 높은 온도로 가열하였다.

화학에 대한 조예도 제법 깊었던 그는 칼슘이 알루미늄보다 활성이 더 크므로 산화알루미늄에서 산소를 제거하리라 예상하였다. 혼합물을 장시간 가열한 후 윌슨은 반응기를 열어보았다. 물론 번쩍거리는 알루미늄이 들어 있기를 기대하면서……. 그러나 그가 본 생성물은 시꺼먼 찌꺼기였다. 화가 난 윌슨은 시꺼먼 잔류물을 자기 실험실 옆을 흐르고 있던 냇물에 던져버렸다.

아뿔싸. 이게 웬일인가. 잔류물이 물에 닿자마자 거대한 기포가 생기더니 물을 하늘 위로 쏘아 올리는 것이 아닌가! 윌슨은 이 결과를 보면서 알루미늄은 까맣게 잊고 새로운 검은 찌꺼기가 무엇인지 그 물음에 푹 빠져버렸다. 더구나 하늘 높이 물줄기를 뿜어 올린 기체는 쉽게 연소함도 알아냈다. 분석해 본 결과 잔류물은 칼슘카바이드였으며, 기체는 아세틸렌이었다.

그러나 아세틸렌의 발견은 훨씬 전에 있었다. 시안산암모늄(무기화합물, ammonium cyanate)로부터 요소(유기 화합물)를 만들어 유기 화합물의 정의를 바꾸게 만든 프리드리히 뵐러가 그 장본인이었다. 뵐러의 이 업적 전에는 생명력 있는 생물체에서 발견되는 화합물을 유기 화합물이라고 정의하고 있었다. 윌슨보다 30여 년 앞서 괴팅겐 대학의 화학교수였던 뵐러는 칼슘을 목탄과 고온으로 가열해 칼슘카바이드를 만들었으며, 이 화합물이 물과 반응하면 아세틸렌이 생김을 관찰하였다. 그러나 뵐러의 합성법은 윌슨법에 비하여 대규모 합성법으로는 적합하지 않았다.

도대체 아세틸렌의 합성법 발견이 이 당시 왜 그렇게 중요했을까? 유럽에서 1890년대는 가스등의 시대였기 때문이다. 영국 런던에서 가스등 회사가 출발한 것은 매우 오래전인 1813년이었다. 그 후 런던의 시가지와 가정을 밝히기 위해 가스등 망이 구축되었다. 그러나 이동시에는 아직도 초와 등유가 사용되고 있었고 밝기에도 만족하지 못하던 터였다. 그에 비하면 아세틸렌 불꽃은 훨씬 밝았다.

드디어 윌슨은 1895년에 회사를 차렸고, 그 회사는 후에 세계에서 가장 큰 화학회사가 된 유니온 카바이드(Union Carbide)사의 전신이 되었다.

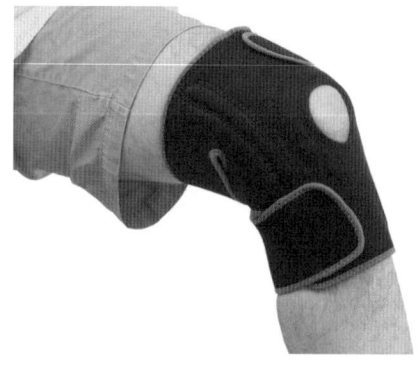

네오프렌은 오일과 가솔린에 저항성이 크고, 엔진벨트와 가솔린 호스로 이상적이며, 천연고무보다 훨씬 우수하다. 왼쪽: © Snyfer | Dreamstime.com, 오른쪽: © Martinmark | Dreamstime.com

곧 소비자들은 칼슘카바이드가 내장된, 이동이 가능한 아세틸렌 등을 구입할 수 있게 되었다. 우리나라에서도 1970년대까지만 해도 칼슘카바이드 덩이를 물에 담가놓은 아세틸렌 등으로 판매대를 밝힌 군밤장사들의 손수레를 서울 거리에서도 쉽게 볼 수 있었다. 지금에 와서는 낭만적인 길가 풍경으로 추억 속에 기록되어 있다. 또 아세틸렌 등 뒷면에 거울을 놓아 불 밝기를 높이기도 하였다. 그런대로 운치도 더하고……

자동차 헤드라이트를 카바이드 램프로 만들기도 하였으니 믿지 못할 얘기다. 탄광에서 비극적인 폭발사고로 이어지기도 했지만 카바이드 램프로 갱구를 밝히기도 하였다. 지금은 카바이드 램프를 보려면 과학박물관에나 가야 하겠지만, 아세틸렌 가스는 아직도 가장 중요한 화학 제품으로 남아 있다.

윌슨이 회사를 설립한 1895년에 프랑스 대학의 화학교수였던 앙리 르 샤틀리에는 매우 중요한 발견을 하였다. 즉, 아세틸렌을 동일 부피의 산소와 섞어 연소시키면 불꽃의 온도가 3000℃를 넘는다는 것이었다. 이 온도는 다른 기체를 연소해서 얻을 수 있는 온도를 훨씬 능가하는 온도다. 이 때문에 산소-아세틸렌 토치는 강철제품을 땜질하는 데 사용하며, 건축술에 필수적인 기술이 되었다.

현재 아세틸렌의 약 절반은 유기 화학 제품 생산에 쓰인다. 아크릴로니트릴을 거쳐 아크릴 섬유를 만들며, 비닐아세틸렌을 거쳐 중요한 합성고무 중 한 가지인 네오프렌을 만든다.

네오프렌의 발명에는 재미있는 우연의 얘기가 숨어 있다. 후에 나일론을 발명한 미국 듀퐁 사의 월리스 캐러더스는 노트르담 대학의 줄리우스 뉴랜드 교수가 아세틸렌으로부터 비닐아세틸렌을 합성했다는 사실을 알고 있었다. 캐러더스는 이 화합물을 합성고무로 만들 수 있지 않을까 하고 연구를 시작하였다. 여러 번의 실패에 실망한 캐러더스의 조수가 어느 주말 비닐아세틸렌과 염산의 반응물을 반응용기에 남겨둔 채 퇴근하였다. 다음 월요일 아침 그 조수는 플라스크 속에 끈적거리는 고무가 생겼음을 보고 크게 놀라 이 사실을 캐러더스에게 보고하였다.

그가 비닐아세틸렌에서 클로로부타디엔을 거쳐 폴리클로로부타디엔(네오프렌)을 탄생시킨 것이다. 네오프렌은 오일과 가솔린에 저항성이 크고, 엔진벨트와 가솔린 호스로 이상적이며, 천연고무보다 훨씬 우수하다. 광고용 대형 벌룬도 네오프렌고무로 만든다. 기체투과력이 매우 낮기 때문이다.

　폭발이 우리들에게 공급한 화학적 발명과 발견이 이처럼 다양할 것을
누가 예측할 수 있었을까.

치아는
타임캡슐

일반적으로 중석기 시대에서 신석기 시대로 이행되면서 인류의 생활양식에 큰 변화가 생겼다고 알려져 있다. 그 무렵에 집단 농경 및 목축 생활이 시작되었기 때문이다. 그러나 발굴된 일부 유물로부터 당시 사람들이 어디에 살았는지 추론만 가능할 뿐, 그들의 거주 이동 상황에 대한 과학적 증거는 많지 않다. 더욱이 너무 오래전이라 발견되는 유골들도 별로 없어서 문제를 더욱 어렵게 하고 있다.

그래서 1997년 영국 남서부에서 발견된 '4구의 유골'은 세계를 흥분시키기에 충분했다. 5100~5500년 전 묻힌 것으로 추정되는 유골들로부터 이들이 그곳에서 살고 있었는지, 이동해왔는지에 대해 어느 정도 답을 얻을 수 있었기 때문이다. 이런 판단의 근거를 어디에 둘 것인가는 화학자들에게 매우 흥미로운 질문거리다.

다행히 우리 조상들은 자신들의 여행 기록을 치아에 보존하고 있었다.

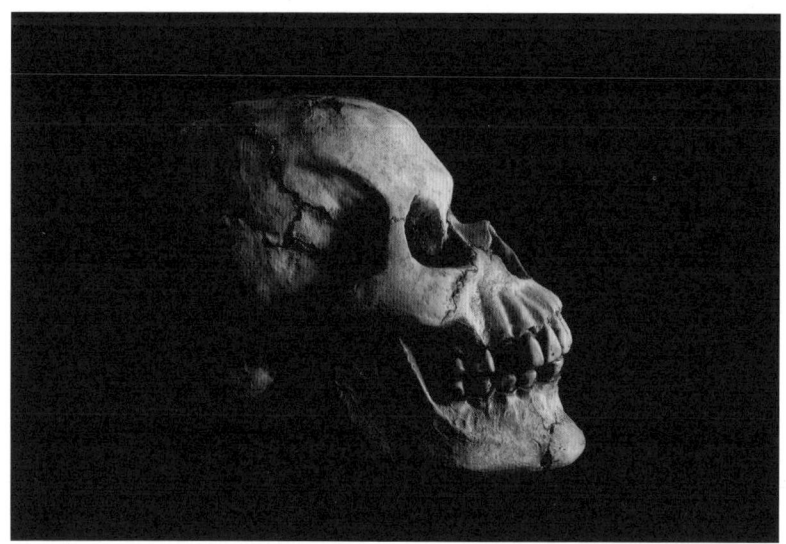

우리 조상들은 자신들의 여행 기록을 치아에 보존하고 있었다. © Derek Audette | Dreamstime.com

치아는 내부의 상아질과 바깥의 에나멜층으로 구성되어 있는데, 상아질이 부드럽고 유기질이 많은 데 반해 에나멜층은 매우 단단한 인회석으로 되어 있으며, 인체 중에서 가장 오랫동안 보존된다. 이 에나멜층의 화학 조성은 대략 열여섯 살이 되면 굳어져 평생 바뀌지 않는다. 즉 그때까지 살았던 환경 및 식생활에 따라 굳어지는 것이다. 그러면 에나멜층은 어떤 과거를 숨기고 있을까?

에나멜층에 들어 있는 스트론튬, 납, 산소가 여행 기록을 알려주는 타임캡슐 노릇을 한다. 스트론튬은 칼슘과 같은 족에 속하는데, 먹은 음식

1. 화학으로 살펴보는 역사 이야기

과 물을 통해 사람의 뼈와 치아 속으로 들어간다. 따라서 치아가 만들어질 때 살았던 곳의 지질학적 특성에 따라 치아의 스트론튬 동위원소(Sr-87과 Sr-88) 조성이 달라진다. 보통 치아의 에나멜층에서는 50~90ppm의 스트론튬과 0.3~30ppm의 납이 발견된다. 에나멜층에 들어 있는 산소 동위원소(O-18과 O-16)의 조성은 주로 음용수에 의존하는데, 살던 곳의 강우 및 기후에 따라 달라진다.

그 가운데 스트론튬과 납의 동위원소 조성은 질량분석에 의존하며, 산소는 탄소와 반응시켜 이산화탄소로 바꾼 후 질량분석법을 통해 분석한다. 산소 동위원소의 조성과 지역 및 시대를 상관 짓는 자료는 비교적 풍부하지만 스트론튬과 납의 경우는 그렇지 못하다. 이렇듯 에나멜층에 들어 있는 세 가지 원소 조성으로부터 자라던 곳의 기후 및 생활양식을 추정하고, 유골이 발견된 고장 사람들의 분석 결과와 비교하면 이동 경로를 추적할 수 있다.

앞에서 말한 4구의 유골에 대한 이야기로 돌아가자. 고고학적 척추 분석으로 이들은 젊은 부인과 대략 다섯 살, 아홉 살, 열 살쯤 되는 아이로 판명되었다. 발전한 DNA 분석 덕분에 그들 중 가장 어린 아이와 가장 큰 아이는 여자이며, 가운데 아이는 남자임이 밝혀졌다. 또한 가장 어린 여자 아이는 부인의 자손임도 알 수 있었다. 나머지 두 아이는 부인과는 관계없는 남매 같았다.

에나멜층에 들어 있는 산소 동위원소 조성은 이들이 영국 남서지역에 살았음을 말해주었으며, 스트론튬과 납 동위원소 조성은 이들의 이동 경로에 대해 더 좋은 정보를 제공해주었다. 부인은 영구치만 지니고 있었는데, 동위원소 분석 결과 무덤이 있던 곳에서 자란 것이 아니라, 80킬로미터 정도 떨어진 곳에서 이동해온 것으로 판명되었다. 다행히 가장 어린아이에게는 유치와 영구치가 있어 부인 영구치의 동위원소 조성과 비교할 수가 있었다. 이 아이의 영구치 에나멜층 중의 동위원소 조성은 부인의 조성과 유사했으나 유치의 경우는 매우 달랐다. 이는 이 아이가 살아 있을 때 먹은 음식물 속에 들어 있던 원소들의 조성에 변화가 있었음을 암시했다.

나머지 두 아이의 경우에는 전혀 다른 이동 경로를 말해주었다. 결국 이들은 어렸을 때는 유골이 발견된 고장에서 지냈으나, 커가면서 다른 곳으로 이주했다는 결론이 나온다. 이러한 결과는 이 네 명이 곡물을 주식으로 한 농경민이 아니라 목축을 주업으로 한 육식 종족에 속했음을 말해준다. 따라서 이들이 가축들의 먹이를 따라 이동했을 가능성을 짐작할 수 있었다.

그런데 이 네 유골은 생전에 과연 어떤 관계였을까? 이에 대한 답은 아직도 명확하지 않다. 고고인류학에서 화학이 할 일은 여전히 너무나 많다.

TWA Flight 800과
과학 수사의 한계

범죄 수사와 사고현장의 수색에는 화학이 결정적 역할을 한다. 범인이 남긴 손금 자국도 쉽게 찾아내고, 범인의 핏자국과 머리카락의 DNA 분석을 통해 범인을 찾기도 한다. 친자 확인에 DNA 분석 결과는 단정적 증거로 사용된다. 얼마전 호주에서 어느 학생들의 화학 실험이 한 회사를 곤궁으로 몰아넣은 일이 있었다. 비타민C가 듬뿍 들어 있는 건강 음료로 시판되고 있는 음료의 비타민C 함량을 학생들이 화학 실험 시간에 알아내기로 하고 실험을 했다. 그런데 놀랍게도 그 음료에는 비타민C가 거의 들어 있지 않다는 결과가 나왔다. 이에 놀란 학생들이 급기야 그 회사를 위장광고 혐의로 고발했고, 회사의 명성은 하루아침에 추락할 수밖에 없었다.

1996년 7월 17일 아침 8시에 TWA Flight 800은 뉴욕의 케네디 국제항공을 출발해 프랑스 파리로 향해 상공으로 진입하고 있었다. 그런데 이 비행기가 3900미터 높이에 다다랐을 때 갑자기 폭발을 일으키며 추락해 롱아일랜드 해변 가까이 30여 제곱킬로미터 영역에 잔해를 흩뿌렸다. 화염에 휩싸인 비행기와 폭파된 조각들이 비상하는 광경을 지상, 바다, 공중에 있던 많은 사람들이 목격하였다. 목격자들에 의하면 비행기가 폭발하기 직전에 화염줄기가 하늘 위로 치솟았는데, 이는 곧 테러범의 어깨에서 발진한 미사일이 그 큰 비행기를 추락시켰으리라는 추론을 낳았고, 후에 비행기 파편에서 발견된 폭약 성분이 이 생각을 더욱 뒷받침해 주었다. 그러나 사고 원인을 조사하기 시작하면서 곧 중앙연료 탱크의 폭발이 사고의 원인임이 분명해졌으나, 폭발의 원인은 미궁에 빠졌다.

그 비행기의 중앙 연료 탱크는 웬만한 주차장 크기였는데 이날 연료 탱크에는 50갤런 정도밖에 연료가 없었고, 더운 여름 날씨에 탱크 밑에 있던 에어컨이 계속 돌고 있어 그 뜨거운 열이 일부 연료 탱크에 전달되었을 것은 쉽게 상상이 되는 일이었다. 그러면 연료가 증발해 탱크의 빈 공간을 증기가 가득 채우고 있었다는 얘기가 된다. 더구나 제트 연료의 발화점이 섭씨 38도밖에 되지 않으니, 연료 탱크가 폭발 온도에 접근하고 있었다는 추측도 쉽게 가능하였다. 물론 점화원이 있어야 한다. 약 40여 미터 바다 밑에 흩어져 있는 파편들을 수거해, 컴퓨터 시뮬레이션을 해보아도 중앙 연료 탱크가 있던 비행기 부분이 동체에서 가장 먼저 떨어져 나왔고, 초기 폭발도 거기서 시작됐음을 알 수 있었다. 몇 초 후 조정실을 포함한 비행기 앞부분이 분리되어 동쪽 바다에 떨어졌다. 날개와 엔진 등 비행기 뒷부분은 이제 가벼워졌으므로 화염에 휩싸인 채 엔진이 연료를 모두 소진할 때까지 더 하늘로 치솟았다. 아마도 이 폭발 순서를 따라 화염 줄기가 치솟는 광경을 목격자들이 본 모양이다. 비행체들은 더 부서지면서 멀리 바닷물 속으로 떨어졌다.

미국연방수사국(FBI)은 증인들을 인터뷰함과 동시에 테러자에 의한 미사일 발사, 잘못 발사된 미군에 의한 발포 등의 가능성을 모두 검토하였다. 비행기가 4킬로미터 높이에서 폭발한 사실이 테러자의 어깨에서 발진한 미사일 때문이라는 가정은 비행기 바로 밑에 있던 선상에서 발사해야만 명중시킬 수 있다는 결론에 도달하였다. 그러나 모든 정보를 종합해도 당시 바닷가에 그 위치에 배가 있었다는 증거를 찾지 못했다. 따라서 폭탄에 의한 폭발 가능성에 더 무게를 두게 되었다. 그렇다면 비행기를 추락시킬 정도로 강력한 폭약의 잔류물을 찾아야 했다.

흔히 다이너마이트라고 알려진 폭약은 트리니트로글리세린을 규조토에 흡착시켜놓은 화합물이다. 노벨은 이처럼 해놓으면 화약의 수송 및 저장이 쉬워지고 필요시만 충격이나 발화로 폭발시킬 수 있음을 발견하여 큰 재산을 모았다. 화약 잔류물 검출도 만만치 않았다. TWA기 사건 전에 있었던 팬암(Pan Am)기 폭발 사건에서 사용되었던 RDX폭약(시클로트리메틸렌트리니트라민)에 착안하여 이번에도 RDX류의 폭약이 비행기 잔해에 묻어 있는지 면밀히 조사하였다. 그러나 비행기 잔해가 바닷물 속에 있었기 때문에 폭약 잔여물 검출이 쉽지 않았다. 어쨌든 면밀한 화학적 조사와 잔해물의 파괴 모양 등을 검토한 결과 폭발물에 의한 사고는 아니라는 견론에 도달하였다. 일부 RDX 관련 화합물이 검출되었으나 수사견 훈련에 사용했던 폭약의 잔류물임이 밝혀졌다. 따라서 이 사건의 원인은 영영 밝혀내지 못하게 되었다. 도대체 연료가 어떻게 발화되었을까? 화인은 무엇이었을까? 액체에는 직접 불이 붙지는 않으며, 기체가 충분양의 산소와 섞여야 발화가 되므로 불은 기체 상태에서만 가능하다. 불행히 TWA사건은 과학 수사의 한계를 보여주는 항공사의 커다란 사건으로 계속 남아 있다.

1. 화학으로 살펴보는 역사 이야기

2

인간을 위한 웰빙 화학

Chemistry

겨울에 즐기는 여름 과일

요즈음은 계절의 구분이 따로 없다고 한다. 여름에는 더위를 못 느낄 정도로 사방이 냉방이고, 겨울에는 난방 덕분에 내의를 입지 않는 사람들이 많아졌다. 여름에는 추워서 스웨터 걸치고 겨울에는 더워서 짧은 바지 입고 산다는 고급아파트 주민들이 우스꽝스럽기까지 하다. 자연에 순응하고, 또 자연을 아끼며 살자는 사람들의 목소리가 점차 아름답게 들려오지만 편안함을 추구하는 인간의 게으름으로 지구 온난화라는 엄청난 재앙이 서서히 다가오고 있다. 에너지의 과다소비가 바로 그 주범으로, 여름에는 덥게 겨울에는 춥게 살자는 '운동'이라도 펼쳐야 할 판이다.

어디 그뿐이겠는가. 겨울철에 후식으로 등장하는 딸기, 수박, 참외 등 풍성한 여름 과일에 우리 모두는 어느새 익숙해졌다. 오히려 이들을 여름에 찾기가 더 어려워진 게 아닐까. 여름철 과일은 겨울에 팔아야 돈이 된다는 농부들의 판단을 부추기는 뒤에는 놀랄 만한 과학의 힘이 도사리

농업혁명은 비료의 발명, 농약의 사용, 플라스틱 필름을 이용한 그린하우스 내에서 작물의 재배 등을 가져왔다. © Radu Sebastian | Dreamstime.com

고 있다. 겨울 기차를 타고 가면서 철로 변에 무엇이 가장 눈에 많이 뜨이는지 살펴본 적이 있었을 게다. 정체는 소위 '비닐' 하우스(vinyl house; 직역하면 비닐집)다. 서양에서는 흔히 그린하우스(green house; 직역하면 녹색집)라 부른다. 예전에는 유리를 사용해 하우스를 지었으나 요즈음, 특히 우리나라에서는 대부분 '비닐'로 짓는다. 이들 비닐하우스에서 여름 과일과 채소가 겨울내 자라고 수확된다. 밭은 이제 여름뿐만 아니라 사시사철 생산지로 변했으며, 따라서 단위면적당 수확량이 예전에 비해 훨

2. 인간을 위한 웰빙 화학

씬 늘어났다. 생산 작물의 고급화까지 생각하면 밭의 가치가 크게 높아진 셈이다. 도대체 '비닐'이 무엇이길래 우리나라 농업을 이렇게 바꾸어 놓았을까?

비닐장판, 비닐우산, 비닐 인조 가죽 등 우리 주위에서 쉽게 여러 가지 비닐제품을 찾아볼 수 있는데 접두어로 '비닐'을 사용한 이들 표현은 모두 50점 정도밖에 맞지 않는다. 화학에서 '비닐'이란, 원자단의 하나로, 화학식으로 표현하면 $CH_2=CH-$ 로 두 번째 $CH-$ 에 무언가 결합하여야 완전한 화합물이 되기 때문이다. 한 예로 H가 결합하면 에틸렌($CH_2=CH_2$)이 되고, 염소가 결합하면 염화비닐($CH_2=CHCl$), 페닐기가 결합하면 스티렌($CH_2=CH-\bigcirc$), 초산기가 결합하면 초산비닐($CH_2=CH-OCCH_3$)이 된다.

이 중 에틸렌은 우리가 흔히 비닐필름, PE 필름 등이라 부르는 플라스틱과 밀접한 관계를 지닌다. 에틸렌은 기체이지만 이 기체분자가 서로 결합해 기다란 분자를 만들면 고체가 되고, 필름꼴로 가공하면 소위 비닐하우스를 축조할 때 쓰이는 플라스틱 필름이 된다. 에틸렌 분자 1만여 개가 계속해 결합하면—중합 반응이라 부른다—에틸렌에 있던 이중결합은 없어지고 $-CH_2-CH_2-$ 단위(반복단위)가 연속해서 결합한 새로운 분자—분자량이 커 고분자라 부른다—가 생긴다. 공식명칭은 폴리에틸렌(polyethylene)*인데 PE라고 줄여서 자주 쓰이기 때문에 시중에서는 흔히 PE필름이라 부른다. 전 세계적으로 소비량

◆
폴리에틸렌은 쇼핑백, 그린하우스 건설용 필름, 전선 피복, 파이프, 장난감, 병과 용기, 방수용 코팅 등 광범위하게 사용되고 있다. 전 세계 연간 소비량이 6천만 톤에 달하며, 우리나라에서는 연 400만여 톤이 생산되고 있다. 플라스틱 없는 세상을 상상하기 힘들다.

이 가장 많고 값도 싸면서, 질기고 보온력도 우수해 그린하우스에 적격이다.

한 겨울에 여름 과일을 즐기는 사치스러움은 결국 합성고분자의 힘이다. 아니 고분자의 실체를 처음으로 역설한 독일의 헤르만 슈타우딩거(1881~1965; 1953년 노벨화학상 수상) 교수에게 감사할 일이다. 화학자들의 창의성은 인류의 물질적 풍요로움을 끊임없이 더해가고 있다. 농업혁명은 비료의 발명, 농약의 사용, 플라스틱 필름을 이용한 그린하우스 내에서 작물의 재배 등을 가져왔다. 현재는 유전공학적으로 변형시킨 작물 종자를 이용한 GMO(genetically modified organism)가 또 한번의 농업혁명을 일으키고 있다. 구태여 추위를 막기 위해 그린하우스를 마련하지 않고 극한에도 견디는 작물을 개발하면 여름 과일과 채소를 눈 쌓이는 밭에서 더 쉽게 재배·수확할 수 있기 때문이다. 물론 썩지 않는 플라스틱 쓰레기에 의한 자연 오염이 우리를 염려케 하지만 플라스틱 제품을 목재나 종이로 모두 대체한다면 2년 내에 아마존 삼림을 모두 소비하게 된다는 어느 석유화학회사 대표의 연설이 귓전에 쟁쟁히 울린다.

단백질에도 고급이 있다

우리나라 사람들처럼 몸에 좋다면 무엇이나 먹어대는 국민도 드물 듯싶다. 동면하는 개구리, 초가집 처마 밑에 잠자고 있는 굼벵이를 잡아먹더니 급기야는 땅속 지렁이까지 잡아 토룡탕이라며 즐겨먹는다. 이것들은 하나의 공통점을 갖고 있는데 모두 동물성 단백질을 공급해주는 '해괴식품'이라는 점이다. 과연 이 보신용 식품 속에 들어 있는 단백질은 고급 단백질일까?

인체를 구성하는 단백질은 매우 다양한데, 모두 20여 종의 알파 아미노산이 길게 결합한 구조를 갖고 있다. 그중 10종은 필요에 따라 체내에서 만들어지며, 나머지 10종은 반드시 음식물을 통해 섭취해야 한다. 이를 흔히 필수 아미노산이라 부르는데, 필수 아미노산에는 아기들에게 특히 필요한 아르기닌과 히스티딘이라는 아미노산도 포함된다.

성인 남자의 몸에는 대략 10킬로그램의 단백질이 있으며, 건강을 유지

건강을 위해서는 동물성 단백질과 식물성 단백질을 함께 섭취하는 것이 이상적이다. © Robyn Mackenzie |
Dreamstime.com

하려면 매일 50여 그램의 단백질을 섭취해야 한다고 알려져 있다. 그러
나 영양 측면에서 보면 우리가 먹는 단백질의 전체 양만 따지는 것은 옳
지 못하며, 필수 아미노산이 골고루 들어 있는지도 따져보아야 한다. 인
체가 필요로 하는 비율로 필수 아미노산이 모두 들어 있는 단백질을 완
전 또는 고급 단백질이라 칭하는데, 달걀에 함유된 필수 아미노산의 비
율이 인체 단백질 속에 들어 있는 필수 아미노산과 매우 가깝다. 그래서
달걀은 가장 좋은 단백질 공급원에 속한다.

육류가 고급 단백질을 공급하는 좋은 음식임에는 틀림없다. 그렇다고
지나치게 섭취해서는 안 된다. 육류에 있는 지방의 과다 섭취도 걱정이

2. 인간을 위한 웰빙 화학

지만, 인체는 지방이나 녹말과 달리 단백질 저장 능력이 없기 때문이다. 물론 일부 단백질은 아미노산으로 분해되어 에너지로 소비되기도 하고, 일부는 글루코오스(포도당)로 변한 후 글리코겐이 되어 간에 저장되며, 또 지방으로도 변한다. 그러나 육류를 지나치게 섭취하면 신장이 아미노산 대사 생성물인 질소 화합물을 너무 많이 배설하여 두통, 구토 및 현기증이 나타나는 요독증에 걸릴 수 있다. 육류는 비싸지만 고급 단백실을 공급해주며 동시에 칼슘, 철, 아연 등의 금속원소도 제공해준다. 그에 비해 식물성 단백질은 값은 싸지만 고급 단백질을 공급해주지 못하며 대신 섬유질을 제공한다.

그러면 채식을 고집하는 사람들은 어떨까? 예컨대 필수 아미노산 중 하나인 트립토판은 옥수수에는 없지만 대추에는 들어 있고, 리신은 시리얼 속에는 없지만 우유에는 듬뿍 들어 있다. 따라서 채식가는 여러 가지 단백질 공급원을 잘 섞어 먹어야 필수 아미노산을 골고루 섭취할 수 있다.

건강을 위해서는 동물성 단백질과 식물성 단백질을 함께 섭취하는 것이 이상적이다. 우리는 항상 편식하지 말고 골고루 먹으라는 말을 여러 곳에서 듣지만 이를 실천하는 사람의 수는 점점 줄어들고 있다. 외국 손님에게 한식을 대접하면 대단히 훌륭한 건강식이라고 칭찬을 받는데도 우리 식단이 점점 서구화되고 있는 것을 보면 퇴보를 선진으로 착각하고 있는 건 아닌지 모르겠다.

침은
인체의 수문장

모기에 물려서 가려운 피부를 긁어 급기야 시뻘겋게 부풀어 올라도 연고 하나 바를 수 없던 시절, 할머니는 긁지 말라고 타이르면서 열심히 침을 바르라고 말씀하셨다. 그리고 실제로 침을 바르면 신통하게도 부기와 가려움증이 사라지곤 했다. 이런 일로 어렴풋이 침을 소독약이라고 믿었던 기억은 나만의 경험이 아닐 것이다. 정말 침이 소독 작용을 할까? 그렇다면 침 속에는 어떤 성분이 있어 이런 작용을 할까?

우리 입 속은 항상 침으로 젖어 있어서 음식물을 씹으면 침이 섞여 부드러워질 뿐만 아니라 소화도 쉽게 된다. 그러나 침이 하는 일은 이 정도로 끝나지 않는다. 호흡할 때 들이마시는 공기를 제외하고, 병원균을 포함한 모든 물질이 입을 통해 체내로 들어온다. 신기하게도 우리는 이들 병원균과 싸워 이겨 건강하게 지내고 있는데 바로 침의 소독 작용 덕분이다. 한 보고서에 의하면, 침은 단순히 소독 작용을 할 뿐만 아니라 곰팡

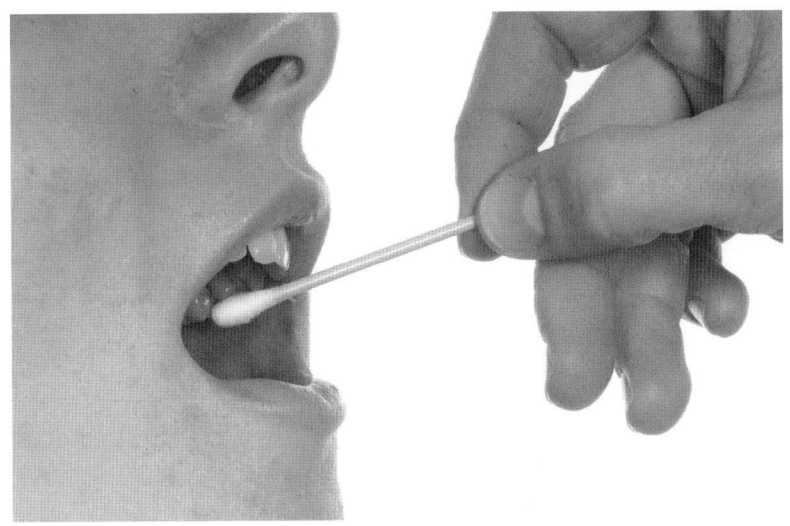

건강한 사람의 침은 10가지 이상의 효소, 10여 가지 비타민과 무기원소, 호르몬, 단백질, 글루코오스, 락트산, 요소 등 여러 화합물이 섞여 있는 혼합물이다. ⓒ PeJo29 | Dreamstime.com

이에 들어 있는 발암성이 강한 아플라톡신 B1과 일부 음식물이 탈 때 생기는 벤조피렌 등을 거의 100퍼센트 비활성화시키는 능력이 있으며, 여러 가지 다른 독성 물질의 활동도 억제한다.

건강한 사람의 침은 10가지 이상의 효소, 10여 가지 비타민과 무기원소, 호르몬, 단백질, 글루코오스, 락트산, 요소 등 여러 화합물이 섞여 있는 혼합물이다. 이 중에서 과산화물을 분해하는 효소 퍼옥시다아제와 비타민 C의 소독 효과가 두드러진 것으로 알려져 있다.

우리는 어릴 적부터 음식물을 열심히 씹어먹으라는 충고를 들어왔다.

음식물을 잘게 씹으면 음식과 침이 골고루 섞여 소화를 도와줄 뿐만 아니라 음식물에 있는 여러 가지 병원균에 대해 침이 충분히 소독 작용을 할 수 있게 된다. 다시 말해 음식물과 함께 우리 입으로 들어오는 여러 가지 병원균이 침의 소독 작용으로 무력해진다. 따라서 침은 한 손에는 소독의 창을, 또 한 손에는 소화의 칼을 들고 있는 믿음직한 인체의 수문장이라고 할 수 있다.

현대의학으로도 추천할 만한 방법인지는 잘 모르겠지만, 손가락이 베어 피가 나면 조금 더 피를 짠 후 상처에 침을 바르던 우리 선조들의 오랜 처방법은 아직도 그럴 듯하게 느껴진다. 손가락이 벤 순간 혹시 들어갔을지도 모를 병원균을 밖으로 내보내기 위해 피를 짠 다음 상처를 핥아 침으로 소독했던 원시적 의술이 아니었나 싶다. 개나 고양이 같은 동물도 상처에서 피가 나면 상처를 열심히 핥는다. 이들도 본능적으로 침의 소독 작용을 알고 있을까?

이렇게 소중한 침을 아무 데나 뱉는 몰상식한 사람을 우리는 가끔 보게 된다. 하지만 강아지가 침 뱉는 광경을 본 적이 있는가?

방사선 처리
식품은 안전한가

의약품을 최종적으로 살균하거나 포장된 식품의 최후 처리수단으로 방사선을 쬐는 방법을 사용한 지도 이젠 꽤 오래되었다. 왜 방사선을 쬐면 과일과 채소, 육류를 더 오랫동안 보관할 수 있을까? 방사선 살균 처리는 정말 안전한 방법일까? 방사선을 과다하게 쬐였는지 알아낼 방법은 없을까? 1980년대 중반 미국 표준과학연구원은 닭고기와 기타 육류에 방사선 처리를 했는지, 했다면 또 얼마나 했는지를 알아낼 수 있는 극히 민감한 분석 방법을 개발했다. 이를 설명하기 전에 우선 식품에 방사선을 쬐면 왜 더 오랫동안 저장이 되는지 알아보자.

이온화성 방사선은 주요 세포 부분을 손상시켜 생체를 죽이는 능력이 있다. 여기서 이온화성 방사선이란 감마선, X선, 음극선 등을 말하는데, 이들은 생체 속 화합물을 이온화시켜 단백질을 파괴한다. 과일과 채소, 육류에 방사선을 쬐면 해로운 박테리아 및 해충을 죽이거나 생식 능력을 없앨 수 있어 더 오랫동안 보관이 가능하다. 이런 방식으로 육류를 살균하여 공기를 밀폐한 채 실온에서 보관하면 몇 년까지도 저장할 수 있다.

방사선 조사량이 적기 때문에 이 방법은 안전하며, 육류 단백질 손상도 거의 없어 영양가를 잃지 않는다. 그러니 쪼여주는 방사선량을 잘 조절해야 한다. 조사량이 너무 적으면 효과가 없고, 지나치게 조사하면 황화수소와 메르캅탄이라 부르는 악취성 부산물을 만들기 때문에 고기 맛을 망친다. 또 방사선을 쬘 때 생기는 일부 이온이 지방의 산화를 촉진하여 악취를 유발할 수도 있다.

식품검사관들은 방사선 처리 식품을 찾아내 방사선 조사량을 알아낼 수 있어야 한다. 그러기 위해서는 방사선 조사 전에는 식품에 들어 있지 않았지만 조사 후에 생기는 화합물을 찾아내야 하는데, 새로 생기는 화합물의 양이 방사선의 양과 비례한다. 이와 같은 화합물을 특히 방사분해 생성물이라 부른다.

여러 화합물 가운데 오르토-티로신이라는 아미노산이 특히 관심을 끌고 있다. 이 화합물은 식품에 방사선을 쪼여주면 생기는 히드록시 라디칼이 페닐알라닌이라는 아미노산과 반응하여 만들어진다. 이온화성 방사선이 식품에 들어 있는 물분자를 때리면 히드록시 라디칼이 생기는데, 이렇게 생긴 히드록시 라디칼이 식물과 동물 모두에 들어 있는 페닐알라닌과 반응하여 오르토-티로신을 만드는 것이다. 현재까지의 연구 결과에 의하면, 예컨대 닭고기에 방사선을 조사하면 오르토-티로신이 생기고, 그 양은 쪼여준 방사선량에 비례하여 증가한다. 오르토-티로신의 양은 불과 몇 ppm 정도지만 현대화학 분석기술로는 이를 쉽게 알아낼 수 있다.

식품 조사에는 주로 감마선을 쓰는데 종종 전자빔(electron beam)도 사용한다. 물론 이와 같은 이온화성 방사선을 조사하면 식품은 종류에 따라 여러 가지 다른 반응을 일으킨다. 즉 탄수화물은 당 성분으로 분해되고, 과일과 채소 중에는 물러지는 경우가 있으며, 딸기는 신맛이 줄어든다. 또한 산소가 있는 상태에서 육류에 조사하면 핏속 미오글로빈이 산화되어 새빨갛게 변한 후 갈색이 된다. 게나 새우는 검게 변하고, 계란과 치즈는 냄새와 맛이 나빠진다. 감자는 싹이 트는 것을 막을 수 있으며, 쌀에 쬐면 밥맛이 달라진다. 흔히 감마선은 코발트-60에서 얻는데, 코발트-60은 쉽게 갖고 다닐 수 있기 때문에 구소련 지역 일부에서는 곡물 속 해충을 죽이는 데 전자빔 기계를 사용하고 있다.

현재 20여 개국에서 30여 식품에 방사선 조사 소독을 허용하고 있으며 동시에 방사선 조사량을 엄격히 통제하고 있다. 방사선 중에서 고에너지 방사선을 과다하게 쬐이면 식품이 방사능을 갖게 될 위험이 있고, 특히 모든 음식물에 들어 있는 탄소와 산소가 방사성 원소로 변할 수 있기 때문이다. 식품 조사 기술은 아직 초보 단계라 할 수 있으나 앞으로 그 응용은 크게 주목받을 것임에 틀림없다.

청춘의 샘은
어디에

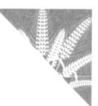

사람은 왜 늙을까? 우리를 늙게 만드는 체내 화학 반응은 무엇이며 어떻게 하면 이 반응을 정지시키거나 느리게 할까?

노화 현상을 설명하는 이론에는 여러 가지가 있으나, 가장 일반적으로 받아들여지는 이론은 1956년 데넘 하먼이 제안한 자유 라디칼 이론이다. 시간이 지남에 따라 생물학적 기능에 변화가 생기는 주원인은 자유 라디칼 반응을 통한 세포 손상의 축적에 있다는 것이다. 실제로 노화가 진행되는 동안 산화에 의해 손상된 단백질, 리피드, DNA 등이 체내에 축적된다는 것이 밝혀지고 있다. 늙어감에 따라 단백질 속에 증가하는 카르보닐의 구조, 산화된 메티오닌, 단백질의 소수성, 단백질의 다리 결합도는 산화가 수반되는 자유 라디칼 반응의 결과물이다. 이들의 생성량은 세포 내 미토콘드리아에서 나이에 따라 증가하는 과산화 라디칼의 생성량과 비례한다. 과산화 라디칼은 산화력이 매우 큰 화학종으로, 반응성

2. 인간을 위한 웰빙 화학

이 큰 이 산소종(ROS)이 체내에서 생기지 못하게 하든지 아니면 ROS가 시작하는 라디칼 반응을 줄이거나 차단해 노화를 느리게 하거나 수명을 연장하려는 노력이 많이 경주되고 있다.

이에 대한 화학적 접근법은 비교적 간단하다. 산화성 자유 라디칼 반응이 체내에서 잘 진행되지 않게 하는 항산화제를 섭취하자는 얘기다. 그렇다면 독성이 없으며 쉽게 섭취할 수 있는 항산화제로는 무엇이 있을까? 바로 비타민 C와 E가 그에 해당한다. 화학명으로 비타민 C는 아스코르브산, 비타민 E는 α-토코페롤이라 부른다. 또 비타민 C는 수용성인 당의 유도체인데 비하여, 비타민 E는 지용성으로 페놀의 유도체이다. 비타민 C는 신선한 야채와 과일에, 비타민 E는 식물성 기름 특히 맥아기름에 많이 들어 있다. 이 두 화합물은 화학 구조상으로는 크게 다르지만, 산화성 자유 라디칼 반응의 주범인 과산화 라디칼이 세포나 생체기질을 손상시키기 전에 먼저 반응하여 반응성이 매우 작고 독성이 없는 새로운 라디칼을 만드는 능력을 지니고 있다.

비타민 C는 일반 감기 방지에 좋다는 폴링 교수의 발표 이후 그 소비가 급증하였다. 이제 비타민 C는 천연물에서 추출하지 않고 인공합성에 의한 대량생산이 가능하며 의사 처방 없이 건강식품으로 쉽게 섭취할 수 있게 되었다. 물론 천연물에서 얻은 비타민 C와 인공합성 비타민 C는 생리 활성에서 조금도 차이가 없다. 몇 년 전 국제순수응용화학회(IUPAC)에 제출된 한 보고서에서도 인공합성 비타민 C와 천연물에서 얻은 비타민 C가 효능 면에서 완전히 동일하다고 결론을 내리고 있다. 그러나 인

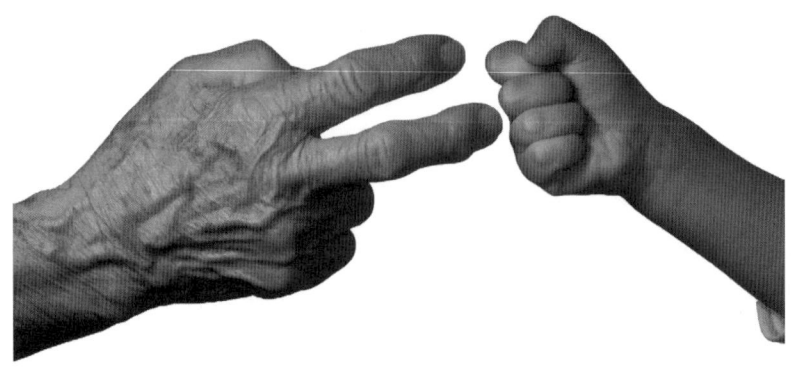

노화 방지와 생명 연장을 위한 화학자들의 노력도 결국 생명과학의 핵심이 된다.

© Jozef Sedmak | Dreamstime.com

공합성으로 제조된 비타민 E의 경우는 천연물인 α-토코페롤(비타민 E)의 입체이성질체(화학 조성은 같으나 3차원적인 분자 구조에 차이가 있는 이성질체)가 함께 들어 있어 생리 활성에서 1.36 : 1 정도로 뒤진다는 것이 보고되었다. 천연물은 인체에 더 오래 머무는 데 반하여 합성물은 더 빠른 속도로 신진대사되어 소변으로 배설된다.

비타민 E는 세포막을 이루는 지질 속에서 산화에 의한 세포막의 손상을 막아줄 뿐 아니라 세포막을 통하는 여러 물질의 유해한 산화성 자유 라디칼 반응을 저지해준다고 믿고 있다. 비타민 E의 이런 능력에 착안하여 캐나다 오타와에 있는 칼튼 대학교수 제임스 라이트 연구팀은 캐나다 자연과학 및 공학연구 위원회의 지원을 받아 2000년부터 활성이 더

2. 인간을 위한 웰빙 화학

큰 항산화제를 이론 및 실험을 통해 찾고 있다. 그들이 지금까지 찾아놓은 화합물 구조를 보면 모두 천연 비타민 E가 갖고 있는 페놀 구조를 포함하고 있다. 이들의 아이디어는 비교적 단순하여 퍼옥시 라디칼(ROO.)과 쉽게 반응하며 독성이 없는 화합물을 찾는 일이다. 결과야 기다려 보아야겠으나 자연의 가르침을 이해하려는 노력에서 크게 벗어나지 못하고 있다는 느낌이다.

생물계에서 일어나는 현상을 분자(화학) 차원에서 이해하지 못하면 바이오 테크의 발전은 암초에 걸리게 마련이다. 노화 방지와 생명 연장을 위한 화학자들의 노력도 결국 생명과학의 핵심이 된다.

남성들이
피임약을 먹는 시대

남성들이 피임약을 먹을 날이 머지않았다고 한다. 현재 여성들이 사용하는 피임약은 1950년대 초 미국 화학자 칼 제라시 박사가 발견했다. 여성의 생리주기 후반에 임신을 준비하게 만드는 프로게스테론이라는 호르몬이 분비되는데, 이 호르몬의 화학 구조를 조금 바꾼 노르프로게스테론이라는 화합물을 여성에게 주사하면 마치 임신한 것처럼 여성 생리가 조절된다.

　여성 호르몬에는 에스트로겐과 게스타겐 두 종류가 있다. 에스트로겐은 여성적 특징 개발에 중요한 역할을 할 뿐만 아니라 생리주기를 조절한다. 특히 생리주기 전반기에 매우 중요한데, 난자의 성숙을 책임지고 있기 때문이다. 이에 반해 게스타겐인 프로게스테론이라는 호르몬은 생리주기의 하반기에 중요한 임무를 띠고 있다. 즉 자궁이 임신을 준비하게 하며, 일단 임신이 되면 난소의 난자 방출을 중지시키는 것이다.

　　　　　　　　　　　　　　　　2. 인간을 위한 웰빙 화학

이와 같은 여성 호르몬의 역할이 밝혀지자 1930년대부터 1940년대까지 안전하고 사용하기 쉬운 피임법 개발되기 시작했다. 제라시 박사도 피임법을 연구하다가 프로게스테론이 갖고 있는 메틸기 하나를 제거한 노르프로게스테론의 호르몬 활성 효과가 천연 프로게스테론의 네 배나 된다는 것을 알아냈다. 즉 이 화합물을 여성에게 투여하면 마치 임신한 것처럼 난자가 생산되지 않으므로 피임에 탁월한 효과가 있다.

그러나 주사로 복용해야 하는 불편이 있었으므로 이를 개선할 필요가 있었다. 그 결과 제라시 박사는 노르프로게스테론의 아세틸기 대신 같은 탄소 원자에 아세틸렌기를 달아 내복약으로 먹을 수 있는 구조로 바꾸었을 뿐만 아니라 약의 효능을 더 높였다. 이 피임약은 노르루틴이라는 상품명으로 팔리고 있는데, 노르루틴은 합성 게스타겐으로 흔히 에스트론과 섞어 사용한다. 예컨대 오르트-노붐이라는 피임약에는 노르루틴에 에스트로겐과 메스트라놀이 섞여 있는데 메스트라놀은 생리주기를 조절하고, 노르루틴은 가짜 임신 상태를 만든다.

현재 시판되는 여러 가지 피임약은 서로 다른 호르몬을 다양하게 배합해서 만든다. 따라서 생리주기 조절을 위해 에스트로겐과 프로게스테론이 일정비로 섞여 있는 피임약을 한 달 내내 먹을 수도 있고, 생리주기 중 시기에 따라 이들의 배합량이 다른 약을 먹을 수도 있다.

한편 남성 호르몬 중 안드로겐은 남성의 고환에서 생산된다. 이 호르몬은 체모나 걸걸한 목소리 등 2차적인 남성 특성을 나타낸다. 남성 호르몬 중에서는 정자 형성을 일정하게 조절해주는 테스토스테론이 가장 중요하다. 그래서 근래에는 테스토스테론 분비가 활발하지 않은 현대 남성들을 위해 피부를 통해 흡수시키는 패치형 호르몬 공급법이 개발되어 시판되고 있다.

최근에는 여러 제약회사가 남성 피임약 개발에 열을 올리고 있다. 과연 어떤 원리를 이용하여 연구하고 있을까? 지금까지는 정자 생산을 중지시키는 화합물 개발이라는 간단한 원리에 초점을 맞추어 연구를 해왔으나, 대부분의 경우 악영향이 많아서 문제였다. 그러다가 1980년대에 아미노산 열 개 정도가 결합한 인공 펩티드 호르몬이 성적 충동을 감소시킨다는 연구 결과가 발표된 후 여러 제약회사에서 정자 생산만 선택적으로 방해하는 펩티드 호르몬 개발을 시도하고 있다. 머지않아 여성들만 피임약을 먹는 불평등에서 벗어날 수 있으리라 믿는다.

여성이든 남성이든 임신을 막기 위해 매일 피임약을 먹어야 한다는 것은 정말 번거로운 일이다. 일주일에 한 번이나 한 달에 한 번만 먹어도 약효가 계속된다면 얼마나 좋을까? 이런 문제를 해결하기 위해 과학자들은 한 번 먹거나 피부에 패치형으로 붙여 약의 성분이 서서히 방출하여 약효를 장시간 지속하는 방법을 연구하고 있다. 남들의 눈에 보이지 않는 부위에 패치형 피임약을 붙인 남성들이 활보할 날이 다가오고 있다.

복어알 해독제 아직은 없다

119 구급대의 활약상을 보여주는 한 TV 프로그램에서 복어요리를 잘못 먹고 중독 증상을 일으켜 병원으로 실려간 부부의 이야기가 방송되었다. 주방장이 결근한 음식점에서 복어 요리를 해본 적이 없는 주인이 끓여준 복매운탕을 먹은 탓이었다.

복어의 알이나 내장 속에 들어 있는 맹독성 물질은 테트로도톡신이라는 화합물이다. 이 화합물은 산소와 질소, 탄소, 수소를 포함하며 여러 개의 고리를 붙여놓은 입체 모양을 하고 있다. 또 분자 내에 이오늄 양이온 부분과 옥시 음이온 부분을 지닌 특이한 구조를 갖고 있다.

그런데 이 화합물은 어떻게 해서 사람의 목숨을 앗아갈 만큼 맹독성을 지닐까? 테트로도톡신의 화학 구조를 보면 물에 잘 녹을 뿐 아니라 체내에서 쉽게 흡수되어 소화될 것 같기 때문에 독성이 어디서 비롯되는지 의문이 더 커질 수밖에 없다. 문제를 풀기 위해서는 신경계에 대한 과학적 이해가 선행되어야 한다.

신경계는 뉴런이라고 부르는 세포로 구성되어 있다. 뉴런은 불가사리 모양인 신경세포체 부분에 가늘고 기다란 축색돌기가 연결되어 있고, 그 끝에 몇 갈래로 갈라진 신경 말단 부분(시냅스)이 있다. 시냅스는 이웃 뉴런의 수상돌기에 가까이 있어 정보를 전달하는 연결구조를 만든다.

이와 같은 뉴런을 따라 이동하는 자극을 신경충격이라 부르고, 신경충격이 시냅스에 도달하면 신경 전달 물질이 나와 인접 뉴런을 자극한다. 이 자극이 새로운 신경충격을 만들고, 이런 과정이 반복되어 결국은 뇌나 기타 중추신경계에 도달한다. 그러면 중추신경계는 그 충격의 의미를 이해하고, 운동신경에 명령을 내려 충격에 대하여 적절히 행동하도록 한다.

신경을 따라 신호가 전달되는 속도는 1초에 90미터 정도로 꽤 빠르지만, 빛이나 전기 속도와 비교하면 330만 분의 1정도로 느리다. 예를 들어 프라이팬이 뜨거운 것을 느끼고 손을 떼었을 때는 이미 데인 후이다. 다시 말해 스위치를 올리자마자 켜지는 전등과 비교하면 우리 신경은 매우 느리다고 할 수 있다. 인간의 신경전달은 전기화학적 전달인 데 반해 전등이 켜지는 것은 전기적 전달 현상이다. 이 두 현상은 전달 속도에 엄청난 차이가 있다.

그런데 신경충격은 어떻게 생길까? 뉴런 세포막 안쪽과 바깥쪽에는 칼륨이온과 나트륨이온이 많이 있으며, 이 이온들이 세포막을 들락거리는 통로가 있다. 압력과 열, 화학 물질 등이 신경을 자극하면, 이 통로를 통해 나트륨이온은 신경 세포막 안쪽으로 들어가고 칼륨이온은 밖으로

2. 인간을 위한 웰빙 화학

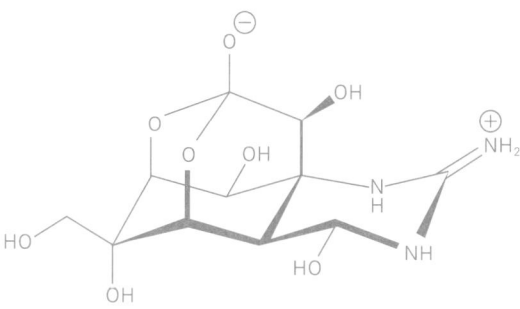

테트로도톡신이 체내에 들어가면 30분에서 3시간 내에 입술과 혀가 마비되기 시작하며, 중독이 심하면 운동장애와 호흡마비를 일으켜 생명을 앗아간다.

나간다. 이온 통로의 문이 열려 나트륨이온과 칼륨이온이 들락거리는 것이다. 이처럼 이온 통로의 문이 연속적으로 열려 전파되는 현상이 바로 신경충격이다. 신경충격 전달이 끝나면 이온 통로 문이 닫히면서 나트륨이온-칼륨이온 펌프가 작동하여 원래 상태로 돌아간다.

테트로도톡신이 체내에 들어가면 30분에서 3시간 내에 입술과 혀가 마비되기 시작하며, 중독이 심하면 운동장애와 호흡마비를 일으켜 생명을 앗아간다. 그러면 앞에서 말한 복어의 테트로도톡신은 어떻게 하여 독성을 나타낼까? 세포막에 있는 이온 통로는 세포막을 이룬 리피드층 속에 묻혀 있는 단백질 분자가 만드는데, 테트로도톡신은 이 단백질 분자를 어찌나 좋아하는지 만나자마자 친화적 상호작용으로 이온 통로를 막아버린다. 그리고 이온 통로가 막히면 신경충격과 신경전달이 중단되어 골격에 이어 심장 근육이 마비되는 것이다.

불행하게도 아직까지 이온 통로를 열 수 있는 방법이 없어, 복어의 해독방법도 찾지 못하고 있다. 독성이 어떻게 작용하는지에 대한 분자 차원의 이해가 경이롭지만, 최근에 일고 있는 질병 및 유전에 대한 분자 차원의 지식은 분자 세계를 더욱더 연구해야 한다는 점을 보여주고 있다.

2. 인간을 위한 웰빙 화학

깨끗한 식수를 만드는 물의 과학

물의 대부분은 공기와 지표로부터 오염되기 때문에 자연에서 순수한 물을 찾기란 거의 불가능하다. 불순물은 무기물도 있고 유기물도 있으며, 녹아 있거나 미세한 입자로 떠 있기도 한다. 일반적으로 부유 불순물은 지름이 1미크론(1만 분의 1센티미터)보다도 작은 콜로이드 크기이며, 보통 음의 전하를 띠고 있다. 이 음전하들이 서로 반발해 입자들이 뭉치지 않은 채 물속에 떠 있게 되는데, 물속에 있는 콜로이드 불순물로는 병을 옮기거나 질병을 일으키는 박테리아, 바이러스, 천연물로부터 생긴 유기질, 점토, 금속 착물 등이 있다.

1993년 미국 밀워키주에서는 물에 있던 병원성 미생물 때문에 40만 명의 주민이 질병에 시달렸으며, 그중 100여 명이 죽고 많은 주민이 영구히 능력상실증에 시달렸다. 아직도 우리는 종종 물에 있는 콜레라균이 세계 도처에서 많은 생명을 앗아가고 있다는 보도를 접한다.

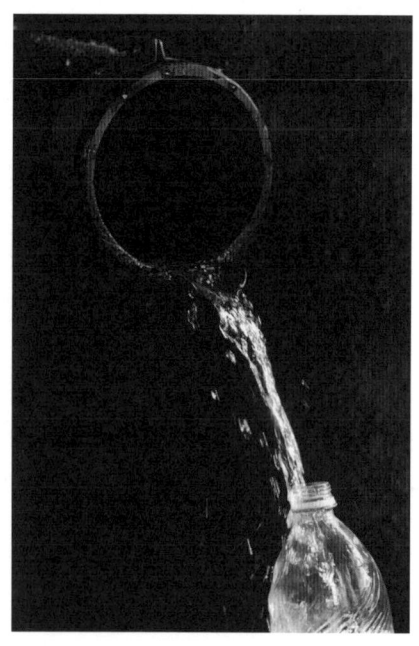

식수의 안전성을 위하여 물 회사들은 응결-응집, 침강이나 부양, 거름 및 살균 과정을 통해 물을 깨끗이 한다. © Pavla Zakova | Dreamstime.com

따라서 식수의 안전성을 위하여 물 회사들은 응결-응집, 침강이나 부양, 거름 및 살균 과정을 통해 물을 깨끗이 한다. 그중에서 첫 응결-응집 단계는 부유물과 콜로이드 불순물을 제거하여 살균 과정을 돕고, 그 과정에서 생기는 유해한 부산물을 최소화하는 중요한 단계다. 또 작은 콜로이드 불순물을 서로 뭉치게 하는데, 흔히 플록스라 부르는 이 덩이들은 침강이나 거름 단계에서 쉽게 제거된다.

응집제로는 예로부터 황산알루미늄, 황산 제2철, 염화 제2철 등이 사용되었으며, 최근에는 규산 황산 폴리암모늄이 개발되어 재래 응집제보다 더 효과적으로 사용되고 있다. 황산 폴리 제2철이라는 화합물도 최근 개발된 우수한 응집제이다. 알루미늄과 철의 혼합 응집제인 황산 폴리알루미늄-철도 관심을 끌고 있다. 이 같은 무기 응집제 이외에도 유기 고분자가 많이 쓰이는데, 유기 고분자는 이온성과 비이온성 응집제로 나뉘며 분자량이 매우 커서 대개 100만을 넘는다.

그런데 이들은 어떻게 응결-응집 작용을 할까? 앞에서도 말했듯이 물

2. 인간을 위한 웰빙 화학

속의 콜로이드성 부유물은 음전하를 띠고 있다. 황산알루미늄이나 황산제2철을 사용해 양전하를 띤 알루미늄이나 철을 넣어주면 서로 전하를 중화시켜 부유물이 응결하게 되는데, 고분자 자체가 크므로 콜로이드성 부유물을 많이 응결시켜 커다란 응집체를 만든다.

중성 고분자인 폴리 아크릴아미드도 응집제로 많이 사용된다. 이 중성 고분자가 어떻게 응집력을 가지는지는 확실하지 않으나 일반적으로 이 고분자가 그물처럼 망을 만들어 콜로이드 입자를 붙들어 엉기게 한다고 알려져 있다. 응결-응집제 사용은 100여 년 전부터 시작되었으며 주로 황산알루미늄과 염화 제2철을 사용해왔다.

지난 20년 동안은 유기물 제거에 특히 관심을 쏟아왔다. 유기물이 남아 있으면 염소 등으로 살균 소독할 때 반응하여 유독성 할로겐 화합물이 생길 위험이 있기 때문이다. 그중에는 발암성이 염려되는 트리할로메탄류도 포함되어 있다. 따라서 응결-응집제 처리에 덧붙여 활성탄을 사용함으로써 병원성 미생물 제거도 철저히 해야 한다.

1994년 UN으로부터 물부족 국가로 분류된 우리나라도 최근 깨끗한 물이 급속하게 줄어들고 있다. 따라서 물을 효율적으로 아껴쓰는 것은 물론이고 경제적이고 위생적인 물 정화 방법 또한 시급히 찾아야 한다.

맥주의
매력

영국에는 맥주를 예찬하는 노래가 있다. "땅을 사는 사람은 돌멩이를 많이 사고, 육류를 사는 사람은 뼈를 많이 사고, 계란을 사는 사람은 껍질을 많이 사지만, 좋은 맥주를 사는 사람은 알짜배기만 사네." 영국, 독일 등 유럽인의 맥주 애호는 상상을 초월할 정도여서 맥주 애호가들에게는 동네마다 특유의 맥주를 마실 수 있는 영국 여행이 지상 천국을 여행하는 듯한 즐거움이다. 오죽하면 유럽인들은 맥주를 '액체빵'이라고 칭하면서까지 즐길까!

맥주는 보리와 호프열매(맥주 향과 쓴맛을 준다)를 물속에서 효모로 발효시켜 만드는데, 역사는 기원전 2000년 내지 3500년까지 거슬러 올라간다. 맥주 예찬론자들은 맥주가 완전식품이라고까지 극찬한다. 물, 탄수화물, 단백질 및 여러 미량 영양소가 들어 있으며, 알코올이 혈액 순환을 도와 심장병 위험을 줄여준다는 맥주는, 대체로 우리 체액과 삼투압

맥주는 다른 음료에 비해 오래 보관해도 상하지 않는다. 호프에서 나오는 이소-알파산이라고 부르는 물질이 살균 작용을 할 뿐 아니라, 맥주 속에 들어 있는 알코올 자체가 방부제 노릇을 하기 때문이다.
© Valentyn75 | Dreamstime.com

이 같은 등장성 용액이기 때문에 다른 독한 술에 비해 인체의 수분 밸런스에 영향을 미치지 않는다. 게다가 맥주 속에 녹아 있는 탄산가스가 위산 생산을 자극해 소화와 근육, 뇌, 허파, 콩팥 등으로의 혈액 순환을 돕는다.

맥주 50시시에는 2그램 정도의 단백질이 들어 있으며, 약 7분의 1이 필수 아미노산으로 되어 있다. 아미노산은 인체 효소의 활성화, 체내 산성도 조절, 근육 에너지 제공 등 매우 중요한 역할을 하는데, 엿기름(맥아)이 아미노산의 주 제공원이다. 맥주에는 놀랍게도 수용성 비타민 B류 여러 가지가 녹아 있으며, 그 양이 단백질의 두 배나 된다. 다른 음료와 달리 맥주는 나트륨의 함량이 낮으며, 나트륨과 칼륨의 비율은 1 : 4로서 이 비율이 29 : 1까지 되는 일부 스포츠음료에 비해 훨씬 건강에 유리하다. 또한 맥주에는 카드뮴, 크롬, 코발트, 납 등 독성 금속이 들어 있지 않다. 좋은 물을 사용하는 까닭도 있겠지만 효모 속의 황이 발효 중에 중금속을 제거하는 스펀지 역할을 하기 때문이다.

맥주는 다른 음료에 비해 오래 보관해도 상하지 않는다. 호프에서 나오는 이소-알파산이라고 부르는 물질이 살균 작용을 할 뿐 아니라, 맥주 속에 들어 있는 알코올 자체가 방부제 노릇을 하기 때문이다. 더구나 최근에는 이소-알파산이 노인들의 골다공증을 막아준다는 연구 결과도 보고되었다.

하루에 한두 잔의 맥주를 마시면 혈액 속에 고밀도 리포단백질이 많아져서 심장마비 위험을 줄여준다는 의학적 보고도 있었다. 저밀도 리포단백질 콜레스테롤은 섬유형으로 그물처럼 혈관에 들러붙어 동맥경화를 유발한다. 하지만 고밀도 리포단백질 콜레스테롤은 훨씬 단단한 알갱이 모양으로 혈관을 지나가면서 저밀도 리포단백질 콜레스테롤을 밀어 떠내려가게 함으로써 혈관을 깨끗하게 해준다고 알려져 있다. 또한 알코올 섭취가 체내 콜레스테롤 생산을 감소시켜 담석 형성을 줄인다는 보고도 있다.

이렇게 보면 맥주처럼 이상적인 음료도 없는 것 같다. 그러나 체중이

70킬로그램인 성인의 간이 한 시간에 약 7그램(맥주 약 200시시에 들어 있는 알코올의 양) 정도밖에 알코올을 소화하지 못한다는 사실을 알면 이 좋은 맥주도 마음 놓고 급히 많이 마실 일은 아니다.

약리 효과가
탁월한 멜라토닌

여러 해 전부터 멜라토닌이라는 호르몬이 DHEA와 함께 현대판 불로초로 세계적 인기를 끌면서 우리나라에서도 멜라토닌에 관한 관심이 커지고 있다. 멜라토닌 약효에 관한 연구에서 세계를 선도하고 있는 텍사스대학의 한 의학교수는 지난 세기가 비타민 시대라면 현 세기는 멜라토닌 시대가 되리라고 주장한 바 있을 정도다.

우리도 이제 멜라토닌의 세계를 여행해 보자. 우선 멜라토닌은 어떤 화학 구조를 가지고 있을까? 멜라토닌은 트립토판 아미노산의 카르복실기를 없앤 후 아미노기를 아세틸화시키고, 벤젠고리에 메톡시기를 치환시킨 구조로 되어 있다. 다르게 말하면 세로토닌의 아미노기를 아세틸화시키고 히드록시기의 수소를 메틸기로 바꾼 구조이다. 따라서 멜라토닌은 세로토닌계의 호르몬으로 분류된다.

1980년대 초 미국 MIT 연구진이 이 화합물을 사람과 동물에게 투여하면 숙면을 취한다는 보고를 발표했다. 그리고 1990년대 들어서 일부 연구 결과가 부작용이 없는 숙면 유도 효능 이외에도 체내에서 산화 작용을 막아 노화 방지에도 탁월한 효과가 있다고 밝힘으로써 멜라토닌의 인기를 상승시킨 기폭제가 되었다. 더구나 일부 과학자는 항암 효과와 면역 기능 강화 특성도 지닌다고 발표하는 등 멜라토닌에 관한 관심은 끊이지 않고 있다. 놀랍게도 이런 멜라토닌이 우리 몸에서 생긴다. 뿐만 아니라 멜라토닌이 최하등식물에 속하는 녹조류에도 들어 있는 것을 보아 이미 30억 년 전에 지구상에 나타난 생체 물질 중 하나로 생각된다.

사람의 경우 멜라토닌은 뇌 뒤쪽 소뇌의 윗부분에 있는 송과체에서 분비되는데, 이 송과체는 멜라토닌 외에 세로토닌도 분비한다. 이 두 호르몬의 분비량이 24시간 주기리듬을 따른다니 재미있는 현상이다. 세로토닌은 주로 낮에 분비되고 멜라토닌은 저녁 7~8시경부터 분비되기 시작하여 새벽 3시경에 그 분비량이 최대가 되며, 오전 7시경부터는 분비가 거의 없어진다. 다시 말해 가장 깊은 잠을 잘 시간에 멜라토닌의 분비량이 가장 많다.

멜라토닌이 인체에서 생성되고 소멸되는 과정을 보면, L-트립토판으로부터 세로토닌(2-히드록시 트립타민)을 거쳐 만들어진 후 하이드록실라제 등 효소의 작용으로 분해되어 소변으로 배출된다. 이 과정 가운데 세로토닌에서 출발하여 멜라토닌으로 변하기 위해서는 우선 아세틸트란스퍼라제(아세틸기 이동효소)의 도움으로 N-아세틸세로토닌이 만들어져야 한다. 바로 이 아세틸기 전이효소가 24시간 주기 리듬을 갖고 체내에서 활동하기 때문에 결국 멜라토닌의 생성도 24시간 주기를 따르게 되는 것이다. 멜라토닌은 연령에 따라 분비량이 달라지며, 60세 이상부터는 그 분비량이 매우 적어진다. 아마도 그렇기 때문에 노인들의 숙면시간이 짧은 모양이다. 이런 이유로 멜라토닌을 인체 노화를 측정하는 시계로도 생각한다.

지금까지 보고된 멜라토닌의 약리 효과를 보면, 첫번째 우수한 수면 유도 효과가 있다. 1980년대 초 발표된 MIT 연구팀의 연구 결과와 영국의 한 제약회사가 행한 임상 연구 결과에 의하면, 건강한 사람에게 멜라토닌을 투여하면 잠드는 데 드는 시간이 짧아지고 수면의 질을 향상시킨다. 또 불면증에 시달리는 사람, 항공여행자의 시차 적응, 신경계 질환을 앓고 있는 어린이들이 정상적으로 잠을 잘 수 있게 하는 탁월한 수면 효과가 있다.

두 번째는 노화 방지로, 아마도 가장 솔깃한 효과일 것이다. 아무리 나이가 들었다 해도 노화 방지에 관심이 없는 사람은 없으리라. 우리는 이미 항산화제 또는 산화성 라디칼 포집 능력을 지니는 화합물로 알려진 비타민 A, 비타민 C, 비타민 E와 베타-카로틴을 먹고 있다. 그러나 멜라토닌은 뇌를 비롯한 생체 모든 부분에서 항산화제 노릇을 함으로써 이들보다 더 노화를 방지한다. 물론 사람을 대상으로 믿을 만한 결과를 얻으려면 지속적으로 50년은 복용해야 하므로 그 진위를 말하기는 아직 어렵다. 쥐 등의 동물 실험에서 긍정적인 결과를 얻는다 하더라도 불로초와는 거리가 멀다는 생각이 든다.

미국 텍사스대학과 이탈리아 산제와르도 병원 등에서 행한 연구 결과에 의하면, 멜라토닌은 간암 유발 물질의 파괴 능력이 우수하며, 인터루킨-2와 함께 암환자에게 주사하였을 때 항암 효과가 커졌다. 또한 멜라토닌이 여러 종양세포의 성장을 감속시키는 것도 관찰되었고, 백내장 예방에 효과가 크다는 보고도 있었다. 그러나 새로운 여러 항암제의 경우처럼 멜라토닌의 약효도 아직은 실험 단계이므로 최종 결론을 내리기에는 시기상조라 하겠다.

현재 영국, 스위스 등의 제약회사가 제조하는 멜라토닌은 1킬로그램에 약 5000달러에 판매될 정도로 고가제품으로, 우리나라에서도 일부 업체에서 생산 공정을 개발하고 있다. 미국과 유럽에서는 건강 보조식품 정도로 수면 유도제 및 시차적응 용도에 가장 많이 팔리고 있다. 미국 FDA가 아직 약품의 허가를 해주지 않았기 때문이다.

우리나라와 일본에서는 의약품은 고사하고 식품첨가제로도 공인되지 않았지만, 지금까지는 인체에 중독증과 부작용이 없는 것으로 보여 멜라토닌이 어떤 방향으로 발전할지는 아무도 알 수 없다. DHEA와 멜라토닌, 세로토닌의 경우처럼 인체에서 생산되는 화학 물질에 대한 과학자들의 연구가 열기를 띠고 있다. 인체에서 일어나는 대사물질 변화도를 연구실 벽에 커다랗게 붙여놓고, 지금까지 자기가 연구해본 적이 있는 화합물을 빨간 연필로 표시해놓았던 일본 화학자를 방문한 적이 있었다. 그 화학자는 자신이 걸어가는 길을 너무나도 잘 계획하고 있었다. 바야흐로 화학생물학 시대가 우리에게 다가와 있다.

독성 물질이 가득한
무공해 농산물

가을은 과일가게에 진열된 햇과일들이 지나가는 사람들의 코끝을 향긋한 냄새로 자극하는 풍성한 수확의 계절이다. 한여름의 태양 에너지를 담뿍 담고 있는 햇과일과 채소들은 우리 건강의 파수꾼임에 틀림없다. 그러나 잔류 농약이 새로운 걱정거리가 되어 우리 마음을 착잡하게 만들고 있다. 그렇다면 농약을 전혀 사용하지 않고 재배한 채소와 과일은 인체에 해로운 성분이 전혀 없는 건강식품일까? 꼭 그렇지만은 않다.

식물들은 해충과 포식동물로부터 자신을 보호하기 위해 살충제에 비견될 정도로 독성이 강한 여러 화합물을 만들어 대항하며, 이들 독성분은 식품의 일부가 되어 인체로 들어온다. 우리가 식품에 잔류한 농약 1그램을 먹었다면, 놀랍게도 천연 식품 속에 들어 있는 천연 살충제를 10킬로그램 정도 먹은 셈이 된다. 다시 말해 천연 식품들은 농약의 잔류량보다 1만 배나 많은 살충제를 지니고 있다는 이야기다. 물론 우리 몸에 들어오는 독성 물질이 주로 천연 식품 속의 천연 화학 물질임을 아는 사람은 그리 많지 않다.

동물 실험 결과 간암을 유발하는 것으로 밝혀져 식품첨가제로 사용이 금지된 사프롤은 사사프라스 나무뿐 아니라 코코아, 후춧가루 등에도 조금씩 들어 있다. 사프롤 외에도 겨자, 마늘, 서양고추냉이에 들어 있는 자극성 일릴 이소티오시아네이트가 동물 실험에서 악성종양을 유발했다는 사실도 밝혀졌다. 시금치의 옥살산은 신장에 해롭고, 날버섯에 들어 있는 히드라진 유도체들은 발암성이 있으며, 당근과 셀러리에서 발견되는 미리스티신이라는 화합물은 환각제이기도 하다. 또한 복숭아와 자두씨에는 독성이 있는 시아노히드린 유도체가 들어 있고, 꿀과 포도주스에 들어 있는 크롬은 폐암을 유발한다. 녹색식물은 대부분 마그네슘을 포함하고 있는데, 마그네슘의 과다 섭취는 중추신경 장애 및 간질의 원인이라고 알려져 있다.

이렇게 따지다 보면 한도 끝도 없다. 그럼에도 우리는 보통 과일과 채소류, 콩, 곡물 등을 전혀 무해한 식품으로 간주하지만, 사실 절제된 식생활을 하는 한에서 안전하다고 말할 수 있다. 예를 들어 커피 70잔을 한꺼번에 마셔야 카페인 섭취가 치사량에 도달하므로 이 독소들의 함량이 얼마나 적은지 짐작할 수 있다.

그런데 이들 독성 물질이 몸속으로 들어오면 인체는 어떻게 싸울까? 이 싸움은 바로 간이 맡아서 하는데, 먼저 간은 독성 물질의 화학 구조를 바꾸어 무해한 화합물로 만든다. 한 가지 독소를 대량으로 투입하지 않는 한 간은 우리 몸을 보호하기 위해 여러 전략을 구사한다. 열 가지 독소를 소량씩 섭취했다면, 간은 즉시 열 가지 다른 효소 반응을 통해 어렵지 않게 신진대사를 시킨다. 그러나 한 독소를 대량으로 섭취하면, 그 독소를 제거해줄 간의 효소 생산 능력이 초과되므로 위험해진다. 이러한 이유에서도 우리는 한두 가지 음식을 많이 먹기보다는 여러 음식을 골고루 먹어야 한다. 즉 균형 잡힌 영양분 섭취는 우리를 위해 싸우는 투사인 간을 돕기 위해서도 매우 중요한 일이다.

우리의 식생활을 점령한 카페인

커피라는 이름은 야생 커피나무가 무성한 에티오피아의 카파라는 곳에서 유래되었다 한다. 에티오피아 사람들이 언제부터 커피를 약재나 음료로 사용했는지는 분명하지 않지만 적어도 9세기경에는 이미 커피를 널리 마시게 되었고, 17세기 들어서는 유럽에까지 퍼지게 되었다. 미국에는 신대륙 발견 이후 유럽인들의 이주로 커피가 전파되었다.

우리나라에서는 아마도 아관파천(1896년) 당시 고종이 러시아 공사 베베르로부터 커피를 대접받은 것이 처음으로 추정되며, 한일병합 후에는 일본인을 통하여, 그 이후에는 한국전쟁 중에 UN 참전군들에 의해 커피 마시기가 점차 일반화되었을 것이다. 전 세계에서 1년에 소비하는 커피양을 원두로 환산하면 600여만 톤이나 되는 엄청난 양이다. 전 세계 인구의 약 3분의 1이 어떤 형태로든 커피를 소비하고 있다니 정말 커피의 세계라 해도 과언이 아니다.

원두커피의 종류는 매우 다양하며 볶은 정도에 따라 향이 달라지기 때문에 소비자는 기호에 맞게 여러 가지를 배합한다.

그런데 커피의 향은 어디서 올까? 커피콩 자체가 향을 가지고 있을까? 그렇지는 않다. 커피콩은 단백질과 지방질, 탄수화물, 섬유질이 대부분이다. 말린 커피열매의 껍질을 벗겨낸 원두를 섭씨 220도 정도에서 볶으면, 녹색이었던 원두가 볶는 정도에 따라 황색→갈색→어두운 갈색으로 변하며, 동시에 커피열매 속의 여러 화학 성분이 열분해하여 커피 특유의 향기를 낸다. 테르페노이드, 알데히드와 케톤, 페놀류, 황 및 질소 함유 물질들이 커피향 잔치의 재료들이다. 낙엽 자체는 별로 냄새가 없으나 낙엽을 태우면 향긋한 냄새가 나는 것과 같은 이치이다.

원두커피의 종류는 매우 다양하며 볶은 정도에 따라 향이 달라지기 때문에 소비자는 기호에 맞게 여러 가지를 배합한다. 그런데 커피향의 성분은 산화되거나 날아가기 쉬우므로 밀봉해두어야 한다. 커피의 쓴맛은 주로 카페인 때문인데, 녹색 생 커피콩은 보통 1~1.8퍼센트의 카페인을 함유하지만 볶은 후에는 1퍼센트 이하로 떨어진다. 퍼컬레이터로 끓인 커피 한 산(약 150밀리리터)에는 카페인이 100밀리그램 정도 들어 있다.

그런데 인스턴트커피는 어떻게 만들까? 인스턴트커피는 제2차 세계대전 중에 미군이 사용한 후 대대적으로 보급되었는데, 볶은 커피의 원두를 분쇄해서 뜨거운 물로 원액을 추출한 후 물을 증발시켜 만든다. 인스턴트커피는 3~5퍼센트의 카페인을 포함하므로 보통 커피 한 잔의 카페인 양은 60~100밀리그램이다.

카페인에 민감하지만 커피를 끊을 수 없는 사람은 카페인을 제거한 디카페인 커피(디캐피네이티드 커피)를 즐긴다. 한때는 디카페인 커피가 오히려 건강에 해롭다고 걱정했는데, 그 까닭은 카페인을 추출하여 제거하기 위해 사용한 트리클로로에틸렌이라는 용제가 발암성을 의심받았기 때문이었다. 요즘은 카페인을 제거하기 위해 더 안전한 트리클로로에탄 혹은 액화 이산화탄소(탄산가스)가 사용된다.

카페인의 독성과 중독성에 관한 문제가 이따금 한번씩 제기되곤 한다. 20년 이상 걸린 한 연구에 의하면, 커피를 지나치게 많이 마시면 심장병 위험이 증가한다고 한다. 또한 커피를 많이 마시면 사람에 따라 불면증, 민감증, 두통, 가슴 두근거림, 배뇨과다증, 설사증 등이 생길 수 있다. 카페인은 간에서 대사되며 체내 반감기가 3~4시간으로 체내에 축적되지 않아 중독성은 없다고 알려져 있다.

성인 한 명이 하루에 300밀리그램보다 적은 카페인을 섭취하면 별 문제가 없다. 그러나 커피 외에도 카페인이 상당량 들어 있는 음료들이 있기 때문에 어린이들이 마구 마셔댈 때 생길 수 있는 부작용은 여전히 의심스럽다. 어느새 카페인이 우리 식생활을 점령해버렸다는 느낌이 든다.

야속한 감기,
원망스러운 감기약

감기는 매우 복잡한 증상을 폭넓게 말한다. 간질간질한 목감기, 콧물이 줄줄 끊이지 않는 콧물감기, 코막힘 감기, 연거푸 마른기침이 나는 감기, 목이 붓고 통증이 심한 감기, 열이 펄펄 나고 두통을 수반하는 감기 등. 이런 증상은 보통 며칠에서 몇 주간 계속된다. 감기는 증상에 따라 치료법이 달라지지만 사실 지난 50여 년간 감기약에는 근본적인 변화가 없었으며, 매년 우리는 감기에 시달리고 있다.

헛기침이나 목이 간질거리는 감기에는 덱스트로메토르판이나 코데인 같은 진정제가 들어 있는 시럽을 먹는다. 이 진정제들은 기침을 억제하는 뇌 수용체에 작용하는 것 같다. 기침은 몇 초 동안에 일어나는 일련의 반사작용이 관여하는 복잡한 과정으로 신경과학자들도 이 과정을 정확하게 이해하지 못하고 있다. 덱스트로메토르판은 D-이성질체로 L-형과 달라 중독성이 없으므로 모르핀 같은 부작용도 없다. 현재 덱스트로메토르판은 N-메틸-D-아스파테이트 수용체에 작용해 기침 유발을 억제함으로써 기침을 덜하게 한다고 알려져 있다.

영국 카디프대학 감기연구센터(CCC)의 최근 연구에 따르면, 기침 빈도 감소에 감기약은 위약에 비해 10~15퍼센트 정도밖에 효과적이지 않다. 즉 뜨거운 레몬-꿀 드링크나 매콤한 드링크제로 입에서 타액 생산을 돕거나 코나 기관지 등의 통풍로에 점액 분비를 증진해도 유사한 결과를 얻을 수 있다. 점액은 바이러스와 박테리아를 잡기 때문에 감염을 막는 수단이 된다. 또한 매운 카레를 뜨겁게 먹어도 침이 많이 나오며 기침 증상이 줄어든다. 양념 중에도 항생제 효과나 항바이러스성을 지닌 것이 많은데 마늘과 고추가 그 대표적 예다.

한편 꽉 막힌 코감기에는 흔히 콧구멍에 스프레이를 분무하는데, 여기에는 옥시메타졸린과 자일로메타졸린 같은 화합물이 들어 있다. 이 화합물들은 교감신경계 수용체를 활성화시켜 혈관 수축을 컨트롤하는 아드레날린 혹은 노르아드레날린을 모방한 신경 전달 물질이다. 흔히들 점액이 코를 막는다고 알고 있지만 실제로는 정맥과 혈관이 부풀기 때문이다. 그러나 이들 화합물의 혈관 수축 작용도 수면시간 정도나 지속될 뿐이며, 때로는 막힌 코뚫기 처방이 점막을 팽윤시켜 코막힘 현상이 다시 나타날 수 있다. 일반적으로 이런 부작용은 감기약에 들어 있는 방부제 때문에 발생한다. 내복약으로는 에페드린, 슈도에페드린, 페닐에피린 등이 있는데 혈관 모두를 적셔야 하기 때문에 효능이 떨어진다. 더욱이 이 약들은 고혈압 혹은 심장과 혈관에 관계되는 부작용이 생길 수도 있다.

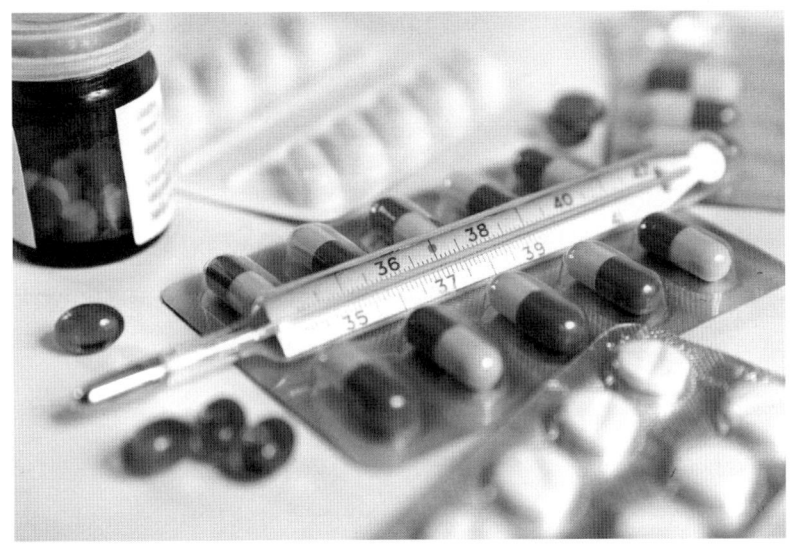

아직까지도 신뢰할 수 있는 감기약이 없다는 것은 여전히 우리가 감기 바이러스와의 전쟁에서 이기지 못하고 있음을 말해주니 안타깝기만 하다. © Vladimirs Prusakovs I Dreamstime.com

두통과 목이 아플 때 먹는 감기약에는 아스피린, 파라세타몰, 이부프로펜 등의 진통제가 들어 있다. 감기로 인한 염증은 체내에 프로스타글란딘류와 브래디키닌 펩티드를 생기게 하는데, 이들이 통증 신경 말단을 자극해 목 아픔, 두통, 근육통을 유발한다. 목이 아픈 감기의 진통제로는 벤조카인과 벤질알코올이 많이 사용된다.

그런데 천연물 중에는 감기약이 없을까? 감기연구센터의 론 에클스 박사는 멘톨을 특히 좋아한다. 멘톨이 막힌 코를 뚫어주지는 못하지만 콧속의 감각신경을 자극해 코막힘이 뚫린 것처럼 느끼게 하기 때문이다. 멘톨은 콧속의 감각신경을 자극하여 호흡 패턴을 바꾸게 한다. 따라서 유아의 야간 처방으로도 유익하다. 또한 멘톨은 국소마취 기능이 있기 때문에 인두염 치료 목캔디로도 널리 쓰인다.

면역계에 필수적인 아연(Zn) 보충이 감기에 효과적인지에 대한 논란은 아직도 계속되고 있다. 최근 서구에서는 에키나시아(Echinacea)라는 미국 토착 자주색 꽃의 치료 효과에 주목하고 있는데, 이 꽃의 추출물이 면역계를 자극하여 감기나 감염을 물리친다고 믿는 사람들이 늘고 있어 의학계의 논란거리로 떠오르고 있다. 어떤 성분이 약효를 보여주는지는 아직 분명치 않으나 면역계에 유익하게 작용하는 것만은 확실해 보인다.

어쨌든 아직까지도 신뢰할 수 있는 감기약이 없다는 것은 여전히 우리가 감기 바이러스와의 전쟁에서 이기지 못하고 있음을 말해주니 안타깝기만 하다. 매년 찾아오는 야속한 감기에 약효 없는 감기약만 원망할 뿐이다. 한편 독감예방주사의 효능은 매우 높기 평가되고 있어 감기와의 투쟁에 서광이 보이기 시작해 참으로 다행이다.

위액 속의 염산을
제거하는 제산제

내가 어렸을 때 할머니는 식사만 끝나면 하얀 가루를 한 숟가락씩 드시 곤 했다. 호기심에 조금 입에 대어 보았더니 찝찔한 듯하면서도 쓸쓸하 고 약간 신 듯한 복잡한 맛이 느껴졌다. 결코 맛이 좋다고 할 수 없었던 그 흰 가루는 식소다, 중조, 중탄산소다, 탄산수소나트륨 등의 이름으로 불리는 화합물로서 지금도 위산과다 환자에게 여러 형태의 제산제로 사 용되고 있다.

위산과다란 말 그대로 위에서 산이 필요 이상으로 많이 생기는 병인데 소화불량, 가슴앓이, 위궤양성 고통 등이 그 증세다. 위의 소화액은 상당 한 산성(pH 1.0~1.5)으로, 염산이 주성분이다. 한편 이 정도의 산성용액 은 박테리아의 서식을 막아 우리를 보호해준다. 또한 놀랍게도 우리 위 벽에 있는 수천 개의 세포가 염산을 분비하여 단백질성 음식의 소화를 돕는 효소의 활성을 극대화한다. 한 예로 위액 중에 있는 단백질 소화효소인 펩신은 산성도가 1.5~2.5일 때 가장 활성이 크며, 4~5 정도만 되어도 소화 능력을 잃는다.

우습게도 인체 조직과 기관들처럼 위벽 자체도 단백질로 되어 있다. 이는 위액의 효소들이 단백질 음식과 위벽의 단백질을 구별하지 못하고 다 소화해버릴 위험이 있다는 이야기다. 다행히 인간의 위는 위산과 효소를 견뎌낼 수 있는 알칼리성 점액막 같은 특수 보호 장치를 갖고 있다. 그러나 이 보호 장치에 고장이 나거나 지나치게 위산이 많이 분비되면 위궤양이 초래되어 위액과 그 속의 펩신이 위벽을 공격하는 화학적 사육제가 진행된다. 최근에는 위액에서 병원균 박테리아가 발견되어, 이 박테리아에 의한 위궤양 발생 가능성에 관해서도 연구가 진행되고 있다.

이렇게 위산이 과다해지면 위산의 작용을 억제하는 제산제를 사용한다. 그런데 제산제에는 어떤 성분이 들어 있고 그들은 어떤 작용을 할까? 제산제 속에는 탄산수소칼륨, 인산수소칼륨, 수산화마그네슘, 수산화알루미늄, 탄산칼슘, 탄산마그네슘, 삼규산마그네슘 등이 들어 있다. 중조와 이 성분들은 모두 위액 중의 염산을 중화시키는 능력이 있는데, 탄산염들은 염산과 반응하여 탄산가스를 만듦으로써 트림이 나게 하기도 한다.

그러나 이 제산제들이 위액을 중성(pH=7)이 되게 하지는 않는다. 만약 위액의 산도가 중성이 되면 위는 완전히 소화 능력을 상실한다. 따라서 좋은 제산제는 위액 중의 염산을 알맞게 제거하여 위통이나 불편함을 없애되 위의 정상적인 소화 능력은 유지하도록 한다.

제산제의 종류는 무척 다양하므로 화학적 지식을 동원하여 적절하게 선택할 수 있다. 예를 들어 고혈압증이 있어 나트륨 섭취를 피하려면 중조나 중조가 들어 있는 제산제는 피하는 것이 좋고, 골다공증처럼 뼈의 퇴행 증상이 있을 때는 칼슘 화합물이 들어 있는 제산제를 복용함으로써 제산 효과와 함께 칼슘 섭취라는 보너스도 얻을 수 있다.

악취를 향기로
바꾸는 마술

우리는 주위에서 유달리 땀을 많이 흘리는 사람들을 종종 볼 수 있다. 그들은 항상 손수건을 두어 장쯤 갖고 다녀야 하는데, 이것은 매우 불편한 일일 뿐만 아니라 땀에 젖은 얼굴이 산뜻해 보이지 않는 것 또한 사실이다. 우리의 몸은 더울 때나 긴장할 때 땀샘이 작동하여, 피부에 있는 땀구멍을 통해 수분을 증발시키거나 땀을 흘리게 함으로써 체온을 조절한다. 땀구멍을 통해 나온 땀이 증발할 때 인체의 열을 흡수해 냉각 효과를 내기 때문이다.

피부 전체에 퍼져 있는 땀샘은 약 200만 개나 된다고 하는데 그 대부분이 손바닥, 발바닥, 겨드랑이, 사타구니 등에 밀집해 있다. 땀은 대부분이 물이며 약한 산성으로 염화나트륨(소금), 염화칼륨, 락트산(젖산), 요소 및 글루코오스(포도당)와 기타 유기물이 조금씩 녹아 있고 냄새는 별로 없다.

그런데 왜 우리는 땀냄새를 강하게 느끼는 것일까? 그것은 땀 속에 들어 있는 성분 때문이 아니라 피부나 체모 근처에 몰려 살고 있는 박테리아가 땀 성분을 분해하여 악취성 물질을 만들기 때문이다. 땀샘뿐만 아니라 겨드랑이, 두피, 성기 및 항문 주변에 몰려 있는 기타 분비선의 분비물도 박테리아로 인해 불쾌한 냄새를 풍기는 물질로 변한다. 땀도 그렇지만 이들 분비선에서 나오는 물질의 종류와 양도 사람에 따라 조금씩 차이가 나기 때문에 이 분비물로부터 생기는 화합물의 종류와 양에 따라 사람의 체취가 달라진다. 그래서 후각이 민감한 강아지들은 주로 이 체취에 의해 자기 주인을 알아보는 것이다.

　겨드랑이 분비선을 통해 분비되는 화합물들은 박테리아의 분해 작용을 통해 자그마치 40가지 이상으로 변하는데, 1990년대 초에 가장 심한 악취를 내는 화합물이 3-메틸-2-헥센산이라는 것이 밝혀졌다. 우리 피부에 박테리아가 살고 있다는 사실은 쉽게 받아들이기 힘든 일이다. 더구나 피부 1제곱센티미터당 100만 마리 정도의 박테리아류가 살고 있다니, 인체는 박테리아류로 덮여 있다고 해도 과언이 아니다. 그러나 그리 걱정할 필요는 없다. 다행히 이 박테리아의 대부분은 질병과는 관계없는, 즉 해롭지 않은 박테리아이기 때문이다.

　지나치게 땀을 많이 흘리는 사람들은 일상생활에서 어려움을 겪는다. 그래서 요즘은 땀을 흘리는 과정을 억제하며, 냄새가 나는 원인을 차단해주는 방한제를 많이 사용하고 있다. 땀이 나지 않게 하는 방한제는 무엇이며 어떻게 하여 땀이 덜 나도록 하는 것일까? 가장 많이 사용되는 방한제는 수산화염화알루미늄류이다. 그밖에도 황산알루미늄과 염화알루미늄의 화합물이 사용되는데 이 화학 물질들이 방출하는 알루미늄 양이온이 땀구멍을 수축시켜 땀이 덜 나오게 하는 것으로 보인다. 그러나 땀구멍을 모두 막으면 건강에 좋지 않으리라는 점은 쉽게 추측할 수 있다.

또한 방한제만으로는 땀냄새 제거가 만족스럽지 못하기 때문에 흔히 데오도란트(deodorant)라 불리는 방취제를 함께 사용한다. 방취제는 불쾌한 냄새를 숨기는 동시에 박테리아를 제거한다. 즉 방취제 속에 들어 있는 향료는 악취를 숨기고, 과산화아연은 산화제로 유기 물질을 산화시켜 악취를 없애주며, 다른 아연 화합물과 네오마이신 같은 항생제는 박테리아를 제거하는 것이다. 방취제를 사용하여 악취를 가뿐히 제거하고 산뜻한 향기까지 풍길 수 있게 되었으니, 미용 화학뿐만 아니라 미취 화학(?)의 발전도 새삼 확인하게 된다.

섬유질은 영양가 없는 건강의 파수꾼

요즈음 건강식품의 인기가 점점 높아지고 있는데, 이는 생활형편이 나아짐에 따라 자신의 건강에 신경 쓸 여유가 더욱 많아졌기 때문일 것이다. 1980년대부터 갑자기 떠오른 건강식품으로는 특히 고섬유질 식품과 섬유질 음료가 있다. 도대체 이 식품들에는 어떤 섬유질이 들어 있으며, 또 섬유질은 어떤 작용을 하기에 건강식품으로 관심을 끌고 있을까?

쉽게 얘기하면 음식물에 들어 있으면서도 소화가 되지 않는 물질을 섬유소라 부르며, 그 대표적인 예가 셀룰로오스다. 셀룰로오스는 인체가 쉽게 소화시키는 녹말과 같이 포도당(글루코오스)이 길게 연결되어 있는데, 녹말과는 다른 형태로 포도당 구조가 결합되어 있어 소화를 시키지 못한다.

녹말과 같은 형태의 포도당 결합을 α-결합이라 하고, 셀룰로오스에서 포도당이 결합한 모양을 β-결합이라 한다. 그런데 인체는 α-결합 상태의 포도당은 쉽게 소화시킬 수 있지만, β-결합 상태일 때는 소화를 시키지 못한다. 이러한 소화력의 차이는 체내 효소가 α-결합만 분해시킬 수 있기 때문이다. 체내에 있는 말타아제라는 효소가 녹말과 말토오스를 가수분해하여 포도당으로 만드는데, 이렇게 만들어진 포도당은 쉽게 흡수되고 소화되어 우리 몸에 에너지를 공급해준다.

사람과 달리 소와 염소는 셀룰로오스의 β-결합을 끊을 수 있는 미생물을 체내에 갖고 있어 풀이나 볏짚에 들어 있는 셀룰로오스를 소화시킨다. 그러나 셀룰로오스만이 섬유소는 아니며, 부드러운 과일과 천연 껌, 리그닌 등에 들어 있는 펜토산과 펙틴들도 인체에서 소화되지 않는 섬유이다. 셀룰로오스는 물을 흡수하는 능력이 매우 뛰어나 장을 지나 체외로 배설될 때에 수분을 끌고 나간다. 셀룰로오스보다 물을 좋아하는 성질(친수성)이 훨씬 우수한 셀룰로오스 유도체가 귀리, 천연 껌, 김, 미역 등에 들어 있으며, 이들을 통틀어 물에 녹는 가용성 섬유라 부른다. 또 화학 반응을 통해 셀룰로오스를 수용성으로 바꾸어놓은 메틸셀룰로오스와 카르보메톡시 셀룰로오스(CMC) 등도 가용성 섬유로서 샐러드드레싱을 만드는 데 첨가제로 사용된다.

한편 이와는 전혀 다른 섬유소로 저항성 녹말도 있다. 녹말이 들어 있는 식품(예컨대 쌀)을 수분이 많은 상태에서 높은 온도로 조리하면, 녹말분자가 뭉쳐 있는 구조에 변화가 일어나 체내에서 소화 저항성 녹말을 만드는데, 이를 잠복성 섬유 또는 숨은 섬유소라고 부른다. 따라서 음식에 들어 있는 셀룰로오스 섬유소와 가용성 섬유소, 잠복성 섬유소를 섬유소라고 통칭한다.

이상적으로는 이들 섬유소를 하루에 30그램 이상 섭취하는 것이 좋다. 섬유소는 밀기울에 44퍼센트, 마른 살구에 24퍼센트, 옥수수에 6퍼센트, 사과에 2퍼센트, 쌀에 1퍼센트 정도가 들어 있다. 그런데 소화도 되지 않는 물질의 섭취가 왜 우리 건강에 좋다는 말인가? 실제로 현대인의 식생활에서 섬유질 음식의 섭취는 절대적으로 필요하다. 섬유소는 소화되지 않은 채 수분을 많이 끌고 장 속을 통과하므로 대변을 부풀게 하여 부드럽게 만든다. 따라서 배변하기 쉽게 해줄 뿐만 아니라 변비와 치질을 방지하는 역할도 한다. 이는 결과적으로 결장암의 발병률을 낮춘다. 또한 섬유소 섭취는 관상동맥경화라는 무서운 심장질환도 예방해준다. 우리 장에는 여러 가지 노폐물이 있기 마련이고, 그중에는 발암성 물질도 섞여 있다. 섬유질 음식을 많이 섭취하면 배변시 이들 노폐물도 함께 체외로 나가게 되므로 암이 예방된다는 설명이다.

이미 기원전 400년경 그리스의 히포크라테스가 기울(속껍질)을 제거하지 않은 밀가루 빵을 먹으라고 권했다니 참으로 놀랄 만한 일이다. 히포크라테스는 그 이유를 말하지 않았으나 기울을 제거하지 않은 밀가루에는 섬유소가 많이 들어 있으므로 현대의학으로 보아도 그의 말이 옳다. 근대에 들어와서는 버킷 박사가 아프리카인들에게 결장암이 없는 것은 그들이 먹는 음식에 섬유소가 많기 때문이라며 섬유소 섭취의 중요성을 강조했다.

특히 가용성 섬유소는 체내의 콜레스테롤 양을 감소시킨다고 알려져 있다. 가용성 섬유소는 담즙산이 강하게 붙은 채로 배설되기 때문에 콜레스테롤의 체내 흡수를 저해한다는 것이다. 담즙산은 담낭에서 나와 음식과 섞인 후 물에 녹지 않는 지방과 기름을 매우 잘게 부수는 일종의 체내 계면활성제(비누) 노릇을 함으로써 결국 콜레스테롤의 체내 흡수를 돕는 역할을 한다. 자기 일을 마친 후에 담즙은 다시 장에 흡수되어 다음 지방질이 오기를 기다린다.

그러나 가용성 섬유소가 있으면 담즙산이 여기에 강하게 붙어 재차 흡수되지 못한다. 그러면 담즙산 제조 책임을 맡고 있는 간은 체내에 있는 콜레스테롤로 부지런히 담즙산을 만들어 담낭에 저장하게 한다. 다시 말해 체내 콜레스테롤의 양은 저절로 줄어들며, 결과적으로 심장질환 위험으로부터 벗어날 수 있다.

영양가 없는 섬유질이 이렇게 우리 건강을 지켜주는 훌륭한 파수꾼임을 볼 때 우리 조상들이 예로부터 전수해준 김치, 깍두기 등 전통음식의 가치를 새삼 느끼게 된다.

국수를
쫄깃하게

　요즈음 라면은 종류가 하도 다양해서 어느 것을 고를지 망설일 때가 많다. 뜨거운 물을 부어 먹을 수 있는 라면이 나와 인기를 끌기 시작한 지는 이미 오래전, 밀가루로 만든 라면뿐 아니라 쌀라면까지 생겼다.

　보통 라면 봉지에는 끓는 물에 몇 분 동안 삶으라는 조리법이 적혀 있다. 그러나 일반 국수를 사면 어떻게 삶으라는 지시문이 없어 부엌을 가까이 하지 않던 사람들, 특히 남자들을 당황케 한다. 그런가 하면 같은 칼국수인데도 손님이 들끓는 칼국수집의 국수는 훨씬 쫄깃하면서 맛이 좋다. 국수(밀가루) 성분이 달라서 그럴까, 아니면 삶는 방법이 달라 그럴까? 물론 밀가루 속에 글루텐이라는 단백질이 많으면 삶은 국수가 쫄깃한데, 글루텐이 물에 적셔지면 탄성을 갖게 되기 때문이다.

　시중에서 강력분이니 중력분이니 혹은 박력분이니 하는 말을 쓰는데, 이는 글루텐이 많이 들어 있는지, 보통량이 들어 있는지, 아니면 조금밖에 들어 있지 않은지에 따라 부르는 명칭이다. 가정에서 흔히 사용하는 국수용 밀가루는 중력분이다.

그러면 같은 중력분 국수라도 어떻게 하면 더 맛있고 쫄깃하게 삶을 수 있을까? 펄펄 끓는 물에 국수를 잘 풀어 넣고 저은 후 국수가 끓어오르면 찬물을 부어 일단 끓는 것을 가라앉힌다. 그리고 다시 물이 끓기 시작하면 국수를 건져 찬물에 씻으면 맛있는 면이 된다는 말을 흔히 듣는다. 이때 찬물을 너무 많이 부어도 좋지 않으며 흔히 원래 물의 5분의 1에서 7분의 1 정도가 적당하다고 한다. 면의 굵기에 따라 찬물을 넣어 잠시 끓음을 멈추는 과정을 다섯 번 정도 반복하라고 충고하기도 한다. 면의 굵기나 사용한 밀가루의 질에 따라 여러 번 실험하여 최적 조건을 찾을 수밖에 없다.

실제로 실험해보면 국수를 삶는 도중에 찬물을 부은 쪽의 국수가 그냥 삶은 국수보다 쫄깃하며 잡아늘이는 데 드는 힘, 다시 말해 인장력이 더 커진다. 밀가루에 들어 있는 전분은 베타형인데 물을 붓고 끓이면 물분자가 전분 사슬에 끼어들어 알파형으로 변한다. 이는 쌀에 물을 붓고 끓일 때 일어나는 현상과 같다. 알파형 전분을 물에 계속 두면 물을 흡수해 점점 흐물흐물해지므로 국수의 끈기가 줄어든다. 뜨거운 물에서는 이러한 변화가 더 빨리 일어난다.

다시 국수 삶는 현장으로 가보자. 끓는 물에 국수를 넣으면 국수 안쪽보다 표면이 더 뜨겁고 물과 잘 접촉하게 되므로 더 쉽게 알파형으로 바뀐다. 계속 끓이면 국수 속도 알파형으로 변해 국수 전체가 흐물흐물해

2. 인간을 위한 웰빙 화학

지고 결국에는 풀어지게 된다. 그러나 중간에 물을 부으면 국수 속은 외부에 비해 아직 온도도 낮고 물과도 제대로 접촉하지 못해 알파형으로 덜 변해 심지 노릇을 하게 된다. 물론 외부는 내부보나 알파형으로 더 변했고 물도 많이 흡수함에 따라 우리 혀에 닿으면 부드러운 느낌을 준다. 즉 바깥층은 부드러운 감촉을 주고 중심부는 끈기를 유지해 쫄깃쫄깃한 탄력을 준다.

실제로 실험해보면 국수를 삶는 도중에 찬물을 부은 쪽의 국수가 그냥 삶은 국수보다 쫄깃하며 잡아늘이는 데 드는 힘, 다시 말해 인장력이 더 커진다.

© Torsten Schon | Dreamstime.com

　이러한 국수 삶기는 많은 양을 삶을 때 특히 그 효과가 크다. 또한 다 삶은 후 차가운 물로 헹구면 표면이 수축되어 끈기를 증가시킨다. 결국 베타형 전분이 알파형 전분으로 변하는 반응 속도를 조절해 국수 맛을 좋게 하는 것이다. 반응 속도 조절은 화학 실험실에서는 물론 우리 입맛을 좌우하는 조리법에서도 중요한 자리를 차지한다. 화학은 이렇듯 우리 생활 구석구석에 영향을 미친다.

자외선만 보면
도망치는 세균들

생활 환경을 위생적으로 바꿔 질병을 예방하려는 노력이 점점 사회적 관심사가 되고 있다. 비누에도 살균 소독제가 들어가고, 락스 제품은 이제 거의 모든 가정에서 사용하는 살균 소독제인 동시에 훌륭한 표백제다. 우리는 예로부터 빨래를 햇볕에 말렸다. 눅눅한 이불을 햇볕에 말려 먼지를 깨끗이 털어낸 후 덮을 때의 신선함을 느껴본 사람은 누구나 우리 조상들의 지혜롭고 간단한 소독법에 감탄했을 것이다. 이불을 햇볕에 말리면 우리가 자면서 흘린 땀과 공기에서 흡수한 수분을 증발시키므로 촉감이 좋아진다. 더구나 태양의 빛은 살균력이 있기 때문에 소독 작용까지 하게 된다.

그런데 빛의 살균력은 어디에서 오는 것일까? 그것을 이해하기 위해서는 우리가 태양으로부터 따뜻한 열 외에 또 무엇을 받는지 알아야 한다. 태양은 열 외에도 우리에게 파장이 다른 여러 빛, 즉 적외선과 가시광선, 자외선을 쪼여준다. 또한 우주선도 쪼여준다. 지구 성층권 위에서 태양의 빛을 측정해보면 53퍼센트는 열 에너지원으로 지구를 따뜻하게 해주는 적외선이고, 나머지 37퍼센트는 가시광선이며, 자외선은 8퍼센트 정도다. 그러나 얼마 되지 않는 이 자외선이 생명체에는 매우 무서운 존재가 될 수 있다. 그렇기 때문에 전 인류가 오존층 파괴에 대해 걱정하고 있는 것이다. 오존층이 없으면 자외선이 훨씬 많이 지상에 도달하기 때문이다.

자외선은 머리카락을 탈색시키고 피부를 검게 만들며, 피부암을 일으키지만 한편으로는 살균 작용도 한다. 자외선이 어떻게 살균 작용을 하는지 그 과정을 살펴보자. 세균은 동물과 달리 세포수가 매우 적고, 박테리아는 대부분 세포 한 개로 이루어진 생물이다. 그런데 이 세포 속에는 생명을 유지하는 데 필수적인 단백질과 효소의 합성 및 유전정보 전달을 통해 후손 유지에 절대적인 역할을 하는 DNA(디옥시리보핵산)와 RNA(리보핵산)가 들어 있다. 특히 DNA는 유전 정보의 보고다. 따라서 이 DNA 분자에 이상이 생기면 그 생물은 생명 유지는 물론 후손 번식도 불가능하게 된다.

이불을 햇볕에 말리면 이불에 붙어 있던 세균 세포 속의 DNA에 커다란 화학 변화가 일어난다. 정상적인 DNA는 아데닌, 티민, 구아닌, 시토신이라는 네 가지 염기가 수소결합을 이루면서, 리보오스라는 당 성분과 결합하여 인산 에스테르 꼴로 길게 이어진 이중나선 구조로 되어 있다. 이 네 가지 염기의 결합 순서가 바로 DNA가 가지고 있는 단백질 합성을 위한 열쇠이며, 자손에게 전달하고자 하는 유전정보이다. 어떤 요인으로 이 순서나 염기의 구조가 달라지면 필요한 단백질을 합성할 수 없게 되고 결국 유전정보를 잃어버리게 된다. 다시 말해 그 세포나 생명체가 죽거나 돌연변이가 되는 것이다. 마치 잘 돌아가던 컴퓨터 프로그램에 컴퓨터 바이러스가 침투하여 컴퓨터가 멈춰버리는 경우와 같다. 이때 컴퓨터 바이러스 같은 역할을 하는 것이 바로 자외선이다.

DNA가 자외선을 흡수하면 네 개의 염기 중 티민이 다른 사슬에 있는 티민과 화학적으로 결합하여 DNA 구조에 변화가 생긴다. 그 결과 본래 있던 DNA 유전정보 프로그램은 깨지게 된다. 결국 단세포 생물인 박테리아나 세포수가 적은 세균에 이와 같은 티민의 2합체가 형성되면 치명적인 손상을 입어 생명을 잃게 된다. 이처럼 어떤 화합물이 빛을 흡수하여 일으키는 화학 반응을 광화학 반응이라고 한다. 즉 태양광선 중 자외선이 DNA에 광화학 반응을 일으켜 세균의 생명을 앗아가는 것이다. 다행히 고등동물들은 일부 손상된 DNA를 다시 고치는 능력이 있다. 그렇다 하더라도 지나친 노출은 피부암 같은 치명적인 질환을 유발할 수 있으므로 주의해야 한다.

어쨌든 빛의 여러 화학 반응을 어떻게 이용하느냐에 따라 인류의 미래가 달라질 수 있다. 그런데도 '태양과학'이라는 말을 아직 사용하지 않고 있는 것이 이상스러울 따름이다.

2. 인간을 위한 웰빙 화학

세균과 곰팡이의 번식을 차단하는 플라스틱

AFKN TV 채널에서 아이들 장난감 이야기를 시청할 기회가 있었다. 주로 장난감의 위생성을 다루면서, 요즈음 미국에서는 장난감 재료에 항균제를 넣은 위생 장난감이 매우 인기 있게 팔리고 있다는 내용이었다. 우리나라에서는 아직 위생 장난감 얘기를 별로 들을 수 없지만, 항균성 또는 항곰팡이성 고분자 재료는 오래전부터 일부 사용되어 왔다. 연질 PVC나 기타 재질로 만든 샤워 커튼에 곰팡이가 생기는 것을 방지할 목적으로 항곰팡이제를 첨가해 가공한 제품이 한 예다.

최근에는 위생 관념의 확산 때문만이 아니라 자주 닦아주거나 청소를 해야 하는 번거로움을 덜기 위하여 항균성과 항곰팡이성 고분자 재료의 개발과 이용이 확대되고 있다. 여기서 항균성이란 세균의 발생을 막는 성질을 의미하며, 항곰팡이성이란 곰팡이가 서식하지 못하게 막는 특성을 뜻한다.

그러면 세균이나 곰팡이가 플라스틱 제품을 손상시킨다는 말인가? 플라스틱에 따라 차이는 있지만 우리가 흔히 사용하는 폴리에틸렌, 폴리스티렌, PVC 등은 세균이나 곰팡이가 침투하지 못한다. 따라서 이들 플라스틱은 생분해성이 없다고 말하며, 가장 흔한 공해 물질로 꼽히고 있다. 그러나 플라스틱 제품 표면이 더러워지면 미생물이 번식하거나 곰팡이가 생길 수 있다. 이를 막기 위해서는 표면을 자주 닦아 깨끗이 하거나 살균제를 살포하여야 한다. 그러나 매번 닦아주는 일이 귀찮을 뿐 아니라 살균제를 잘못 사용하면 인체에 피해를 줄 위험성마저도 있다.

플라스틱 제품 외에도 화장실 욕조나 유리창 둘레 접합부에 사용한 하얀 실리콘 봉합제에 검은 곰팡이가 생겨 미관을 크게 해치기도 한다. 또한 곰팡이나 박테리아가 분비하는 색깔 띤 분비물이 플라스틱 재질 속으로 스며들어 본래의 색깔을 칙칙하게 변화시킴으로써 보기 흉하게 만들기도 한다. 더욱이 나쁜 냄새를 만들기도 한다. 이러한 이유 외에도 박테리아 중에는 병원성을 지닌 것이 많아 식중독을 유발하거나 질병을 감염시키기도 하고, 경우에 따라서는 발암 물질을 만들기도 한다.

곰팡이 중에는 알레르기를 유발하는 것도 있다. 특히 연질 PVC, 폴리우레탄, 실리콘, 나일론 등 첨가제를 많이 사용하는 제품은 곰팡이가 침해하기 쉬우며, 강도 등이 떨어져 제품의 성능을 저하시킬 뿐만 아니라 인체에 알레르기도 유발한다. 그밖에도 프린트 배선기판에 곰팡이가 번식하여 덮으면 절연 현상을 유발해 기능 저하를 야기한다. 이렇듯 세균과 곰팡이 서식이 고분자 제품에 여러 가지 피해를 주기 때문에 이를 시정하기 위하여 항균성 또는 항곰팡이성 제품이 선보이기에 이르렀다.

구체적으로 어떤 고분자 제품이 이런 특성을 갖도록 개발되어 있을까? 벽지나 바닥재, 욕실 천장재 등과 같은 내장제에 곰팡이가 생기지 않도록 한 제품, 물파이프용 플라스틱 제품, 또 가습기, 세탁기, 에어컨 등과 같은 가전제품에 세균 및 곰팡이가 번식하지 않도록 항균제와 곰팡이 방지제를 첨가하여 가공한 제품들이 대표적이다. 그밖에 화장실과 부엌에서 사용하는 잡화와 정수기, 도마, 식품용기 등 식품 관련 제품도 세균 번식을 막도록 하고 있으며, 전선피복, 프린트 배선기판 등 전기, 전자제품에도 곰팡이가 생기지 않도록 하고, 부직포와 카펫, 양말 등 섬유 제품에도 세균과 곰팡이가 번식하지 못하게 약제를 첨가한다.

항균제와 항곰팡이제에는 유기 화합물 약제와 무기계 약제가 있다. 지금까지는 유기계 약제가 많이 사용되어 왔으나 효능의 지속성과 내열성이 떨어져 이런 단점을 보완한 무기계 약제의 사용이 증가하고 있다. 무기계의 대표적인 예로는 제올라이트, 실리카, 알루미나 등에 항균성과 항곰팡이성을 지니는 아연, 구리, 은 등의 금속을 섞은 첨가제가 있다. 유기계 첨가제에 비해 즉효성은 뒤지지만 내열성이 훨씬 우수해 제품을 가공할 때 분해할 위험이 적으며, 유기 약제를 장기간 사용할 때 생기는 내성균의 문제도 없다. 그러나 이들 무기계와 바탕 고분자 재료에 반응이 일어나 물성의 저하를 초래할 수 있고, 유기 바탕 고분자 재료와 근본적으로 섞이지 않는 특성을 지니므로 약제가 골고루 분포된 균질성 제품을 얻기 어렵다는 난점이 아직 극복되지 못했다.

최근 국내에서는 다양한 종류의 무기 항균제가 개발되어 가전제품 제조에 쓰이는 플라스틱류와 섬유, 도료 등에 사용될 것으로 기대된다. 이는 여러 가지 세균에 좋은 항균 효과를 보여줄 뿐 아니라 곰팡이 생성 억제에도 우수한 효능을 지닌다고 알려져 있다. 바야흐로 일상 소비재도 모두 위생 제품화되는 위생의 시대가 오고 있다.

독성이 있는
살균 소독제 락스

40여 년 전 우리나라에서 락스 제품이 개발되어 가정용품으로만 시판을 시작한 때의 일이다. 락스는 살균 소독과 표백이라는 두 가지 기능 때문에 주부들의 관심을 끌었지만 잘못된 사용으로 웃지 못할 일들이 벌어져 소비자들의 불만 또한 적지 않았다. 접수된 피해 사례는 더러워진 은수저를 표백하려고 묽은 락스 용액에 담갔더니 하얗게 되기는커녕 오히려 더 새까맣게 변했다거나, 어항 속의 물을 소독하려고 락스를 조금 넣었더니 금붕어가 모두 죽었다는 식의 내용이었다. 그러니 결국 표백제로도 소독제로도 문제가 있다는 것이었다.

어찌된 일이었을까? 도대체 락스는 어떤 제품일까? 시중에서 판매되는 락스 제품은 모두 차아염소산나트륨 수용액으로 소금이 많이 용해되어 있는 혼합물이다. 차아염소산나트륨은 말할 필요도 없이 제조업자들이 설명한 대로만 사용하면 매우 좋은 소독살균제이고 우수한 표백제다.

그러나 차아염소산나트륨은 화학적으로 매우 강력한 산화제인 동시에 독성이 있으므로 조심해서 사용해야 한다. 은수저와 접하면 은수저가 산화되어 새까맣게 되고, 어항 물에 섞으면 소독만 되는 것이 아니라 그 독성 때문에 금붕어가 죽는다. 엄밀히 말해 모든 살균 소독제는 독성을 지닌다.

연말연초에 사람들은 누구나 한번쯤 구석구석 청소하고 정리하고 싶어진다. 더구나 주부들은 새봄이 다가오면 집 안팎을 깨끗이 청소하고 싶어한다. 이때 으레 사용하는 것이 락스 제품이다. 또 화장실 변기 청소를 위해 염산 등이 들어 있는 산성 세정제도 함께 사용한다. 이 두 가지를 함께 사용하면 변기와 타일의 묵은 때를 더 깔끔하게 닦을 수 있지 않을까?

그러나 이것은 매우 위험한 일이다. 몇 년 전 일본의 한 주부가 통풍이 잘 되지 않는 화장실에서 염산과 락스 제품을 사용하여 열심히 청소하다가 숨쉬기가 점점 힘들어져 병원으로 옮겨졌으나 결국 생명을 잃고 만 사고가 있었다. 차아염소산나트륨은 염산과 접촉하여 황록색 염소 기체를 만드는데, 이 기체는 호흡기를 강하게 자극하고 세포를 파괴할 뿐만 아니라 독성이 강하다. 그러므로 락스와 산성 세정제는 절대로 함께 사용하면 안 된다. 아무리 좋은 제품이라도 올바로 사용하지 않으면 커다란 피해를 입을 수 있음을 보여준 사건이었다.

그런데 락스라는 이름은 어디서 유래한 것일까? 미국의 클로락스사는 차아염소산나트륨 수용액을 클로락스라는 상품명으로 판매하고 있다.

우리나라에서는 이중 락스라는 두 글자만 따서 무슨무슨 락스라고 이름 붙여 시판하고 있다. 사실 화학과는 전혀 관계없는 재미있는 이름인 셈이다.

저칼로리 감미료
올리고당

20여 년 전 중국 연변에서 남북한 과학자들이 함께 학술대회를 개최하며 한 호텔에서 숙식을 한 적이 있다. 요즈음은 TV를 통해 북한의 실상을 비교적 자주 접할 수 있으나 그때만 해도 그렇지 못했다. 북한 과학자를 만났을 때 가장 먼저 눈에 뜨였던 점은 소수를 제외하고는 몸매가 비교적 야위었다는 느낌이었다. 또 하나 인상적이었던 것은 아침식사 후 커피에 상상을 초월할 만큼 많은 설탕을 넣는 모습이었다. 설탕을 지나치게 섭취하면 비만증이 된다거나, 당뇨병의 위험이 있다거나, 콜레스테롤과 중성지방이 증가한다는 등 설탕의 악영향에 대한 걱정 따위는 전혀 개의치 않는 모습이었다. 문득 한국전쟁 후 배급 설탕을 몇 숟갈씩 퍼먹던 기억이 생생했다. 더운 여름에는 차가운 설탕물을 냉차라며 쭉 들이키지 않았던가!

하지만 온통 다이어트 바람에 취해 있는 요즈음 우리 사회에서 설탕

2. 인간을 위한 웰빙 화학

은 마치 독성을 지닌 감미료 정도로 취급받기에 이르렀다. 설탕을 대신할 여러 인공 감미료가 시판중인데 사카린, 아스파탐 등이 그 대표적인 예다. 그러나 그 뒷맛은 설탕에 비해 훨씬 덜 상쾌하다. 최근에는 발효 감미료라는 새로운 종류가 광고에 등장했는데, 올리고당이라는 이름으로 불리고 있다. 올리고당은 분자량이 다당류보다는 작고 단당류보다는 크며, 흔히 단당류가 2~6개 결합한 당류를 총칭하는 이름이나. 1980년대 중반부터 개발되어 시판이 시작된 올리고당에는 여러 종류가 있는데, 이들의 공통점은 인체 내에서 거의 대사가 되지 않아 저칼로리성이고, 충치 예방 효과가 있을 뿐 아니라, 비피더스 박테리아◆ 증식에 기여한다는 점이다.

예컨대 설탕에 프락토실트란스퍼라제(FTase)라는 효소를 작용시키면, 말단기에 글루코오스기를 지니고 있고 $\beta(2{\to}1)$결합으로 연결된 프락토올리고당을 얻는다. 보통 FTase를 알긴산 칼슘에 고정한 60퍼센트(w/v) 설탕 용액을 pH 5.5~6.0, 섭씨 50~60도에서 프락토오스 이전 반응을 시

◆ 비피더스 박테리아에 대하여 조금 더 이야기를 해보자. 장내에 있는 비피더스균은 올리고당을 분해하여 자기 생육에 사용하며, 동시에 락트산(유산, 젖산)과 아세트산(초산)을 만든다. 락트산과 아세트산은 장내의 산도를 높여 해로운 균의 생육을 억제할 뿐 아니라 장을 자극하여 장 운동을 활발하게 만들기 때문에 변비를 줄여준다. 또한 비피더스균은 락트산과 아세트산 이외에도 올리고당으로부터 여러 가지 비타민류를 만든다고 알려져 있다.
사람의 장에는 약 100여 종의 세균이 존재하며, 세균의 종류와 전체 양은 연령 및 건강 상태에 따라 변한다. 즉 유아기에는 다른 균에 비해 비피더스균이 많다. 그 후 장내 세균의 종류와 총량은 크게 변하지 않다가, 노년기에 들어서면 비피더스균이 줄어들고 유해균이 많아진다. 요즈음 유산균 이외에 비피더스균이 들어 있는 음료 및 우유 제품들이 자주 광고에 등장하는데, 올리고당의 섭취는 비피더스 세균을 활성화시키므로 이중적인 효과를 준다.

킨다. 또 한 가지 방법에서는 이눌린과 엔도-이눌리나제로부터 pH 5.4, 섭씨 56도에서 프락토올리고당을 만들기도 한다. 그 결과 첫번째 방법보다 조금 더 긴 올리고당이 많이 얻어진다.

사실 프락토올리고당은 고등식물이 만드는 프락토오스의 저장고로 여러 식물에서 널리 발견된다. 프락토올리고당의 감미는 순도 및 불순물의 종류와 양에 따라 설탕 감미의 30~60퍼센트 정도이며, 위와 소장에서는 소화되지 않으나 장에 있는 미생물에 의해서는 발효된다. 또한 비피더스균이 장 속에 있는 독성 부패물의 생성을 억제해준다. 이런 특성을 지니기 때문에 프락토오스 중합체를 저칼로리 건강 감미체로 선전하는 것이다.

올리고당이 사람에게 유익한 몇 가지 점을 지적했는데, 그 외에도 프락토올리고당을 0.25~0.5퍼센트 정도 동물 먹이에 섞어 먹이면 먹이 효율이 높아지고 체중이 증가한다는 보고도 있다. 프락토올리고당 이외에 갈락토올리고당, 이소말토올리고당, 말토올리고당, 락토실수크로스(유과올리고당), 대두올리고당 등도 중요하다. 그중 이소말토오스, 판노오스, 이소말토트리오스 등을 총칭하는 이소말토올리고당은 부드러운 단맛을 지니는데, 보습성이 커서 녹말의 노화 방지에 효과적이다. 프락토올리고당처럼 이 올리고당도 장내 비피더스균을 선택적으로 증식시키는 능력을 지니며, 구강 내 충치성균이 이용하기 어렵고 면역 부활 기능도 지닌다는 보고가 있다.

올리고당 제품이 1984년에 등장했으니 이젠 제법 나이를 먹은 셈이

　　　　　　　2. 인간을 위한 웰빙 화학

다. 그 사이 일본 식품회사가 프락토올리고당과 이소말토올리고당을 각각 네오슈가(Neosugar)와 이소말토500이라는 상품명으로 개발해 시판하기 시작했다. 참으로 일본의 과학은 세계적이라는 느낌을 버릴 수 없다.

수컷을 유인하는
합성 페로몬

예전에는 머리와 몸에 득시글대던 이를 잡으려고 허연 DDT 가루를 뿌리기도 했다. DDT는 1939년 스위스 화학자 폴 뮐러가 만든 것으로 디클로로디페닐트리클로로에탄이라는 긴 화학명을 가지고 있는데, 여기서 DDT라는 세 글자를 따 쉽게 부르고 있다. DDT가 이, 진드기, 모기 같은 해충의 신경 계통에 해를 주는 기적의 살충제임이 밝혀져 뮐러는 1948년 노벨 생리 · 의학상을 받았다.

　DDT는 가루로 만들어져 조제하기 쉬울 뿐 아니라 값이 싸고 지속성도 매우 우수해 전 세계적으로 소비량이 크게 증가하였으며, 1970년에는 20여 만 톤이 생산되기에 이르렀다. 세계보건기구의 보고서에 의하면 발진티푸스, 말라리아, 페스트 등의 전염병으로부터 DDT가 구한 인명이 2000만이 넘는다고 한다. 그러나 농작물로부터 직접 인체에 축적되거나 우유나 고기, 그리고 그 가공식품에 함유되어 인체에 이행됨으로써

2. 인간을 위한 웰빙 화학

만성중독을 일으킨다고 알려져 1972년 미국 환경보호청은 DDT 사용을 전면 금지하고, 의사의 처방이 있을 때만 쓸 수 있도록 했다.

이 특효 살충제 농약에 어떤 문제가 있었을까? DDT가 살충제로 좋은 까닭은 지방에 잘 녹아 해충에 쉽게 흡수되며, 잘 분해되지 않는다는 것에 있다. 즉 동물에게 흡수된 후 8년이 지나야 흡수된 양의 반 정도가 체내에서 분해되며, 자연세에서는 이 반감기가 15년이나 될 만큼 지속성이 길다. 결국 DDT의 맹독성과 인체에 대한 피해도 오랫동안 잔류할 수밖에 없는 셈이다.

이 밖에도 DDT는 이로운 벌레와 해로운 벌레의 균형을 깨뜨렸다. 예컨대 과수원이나 목화밭에서 꿀벌을 찾아볼 수 없게 된 대신 천적인 해충이 만연하여 과수와 면화에 큰 해를 끼치는 일이 발생했다. 더욱이 DDT에 살아남은 해충들이 점점 강한 내성을 갖게 되어 효능이 약해진 탓이다.

따라서 근래에는 DDT 같은 지속성 농약이나 살충제를 생분해성 농약으로 대체하려는 노력이 진행중이다. 그 외에도 천적의 활용, 해충을 죽이는 박테리아와 바이러스의 이용, 수컷 해충의 불임화, 인공 호르몬 사용 등 진보된 방법이 관심을 끌고 있다. 이른바 환경친화적 방법이 연구되고 있다.

그 가운데 세계적으로 연구가 한창인 성유인(性誘引) 물질 사용법도 일부 성공했다. 암컷이 수정기에 이르러 수컷을 유인하기 위해 분비하는 성유인 물질을 통틀어 페로몬이라 부른다. 합성 페로몬으로 수컷을 유인해 잡는 것은 아주 좋은 환경친화적 해충 구제 방법이다. 미국 동부 농촌에 가보면 이 합성 페로몬을 넣은 깡통을 여기저기 매달아놓고 풍뎅이를 잡는다. 하지만 아직은 값싼 합성 페로몬의 생산이 어렵다는 문제점이 있다.

또한 식물들이 해충으로부터 자신을 보호하기 위해 만드는 살충성 화합물의 구조를 밝히고, 이를 인공적으로 합성하여 사용하는 방법도 많이 연구되고 있다. 이 모두가 인류와 자연을 보호하려는 과학자들의 노력을 보여준다. 이제 과학자의 개인적인 호기심과 지적 도전만을 위한 과학은 설 자리를 잃고 있으며, 인류와 자연을 위한 과학만이 살아남는 시대가 오고 있다.

3

자연 속의 화학 드라마

Chemistry

식물과 천적들의
화학 전쟁

으레 다시 찾아오는 봄, 시인 T. S. 엘리엇은 그중에서도 4월을 잔인한 달이라고 했다. 4월은 식물과 천적들의 화학전이 본격적으로 시작되는 시기이므로 그들에게도 잔인한 달이라고 말할 만하다. 봄이 되어 파릇파릇 싹트는 나뭇잎과 풀잎들은 언제 어떤 천적이 공격해올지 모르기 때문에 화학전을 준비한다. 수백만 년에 걸쳐 식물과 벌레들은 별의별 화학 무기를 비축하도록 진화했다. 배고픈 벌레가 풀잎에 접근하면, 풀잎은 벌레가 고약하게 느끼는 냄새를 풍기기도 하고, 지극히 싫어하는 맛을 내는 화학 물질을 만들기도 한다. 또 벌레들이 잎을 먹기 시작하면 벌레들을 병들게 하는 독성 알칼로이드를 재빨리 생산하기도 한다. 예컨대 사시나무는 안식향산(살리실산) 에스테르와 페놀류의 당 유도체를 방어무기로 사용한다. 식물의 잎은 이밖에도 다양한 화학 무기를 제조하는 하이테크 정밀화학 공장이다.

소나무좀벌레와 소나무 간의 화학 전쟁은 참으로 경이롭다. 좀벌레가 소나무를 공격하기 시작하면 소나무는 일시적으로 자해 행위를 한다. (cc) Vssun

화학 생태학자들은 오늘도 식물과 벌레들이 어떤 화합물을 이용해 적에 대항하며 주위환경의 변화에 적응하는지, 그리고 어떻게 추위를 견디며 공격자의 접근을 알리고, 짝을 유인하는지 등을 연구한다. 식물과 벌레들이 사용하는 신호 및 신호 전달에 기여하는 화합물에 대한 지식은 무궁해, 특히 살충법 개발에 중요한 방법을 제공한다. 위에서 언급한 페놀류의 당 유도체는 벌레들에게 무서운 화학 무기다. 이들 화합물은 벌레들의 성장을 저해할 뿐 아니라 생식력까지 줄인다. 사시나무는 병원균과 싸우는 또 다른 화학 무기인 타닌도 제조한다.

3. 자연 속의 화학 드라마

식물과 벌레 사이의 화학적 메시지 전달은 매우 다양하고 복잡하다. 흔히 동종 간 신호 전달 물질을 페로몬이라 부르고, 이종 간 신호 전달 물질은 카이로몬이라 부른다. 후자에 관한 연구는 아직도 지극히 초보 단계다.

소나무좀벌레와 소나무 간의 화학 전쟁은 참으로 경이롭다. 좀벌레가 소나무를 공격하기 시작하면 소나무는 일시적으로 자해 행위를 한다. 즉 자신에게 해를 입히는 독성 화합물을 제조하여 조직을 파괴함으로써 번식중인 좀벌레를 분리시키고 그 자리에 접착성 수지를 채워 접전을 끝낸다. 그러나 이는 국지전에 불과하다. 적의 침공을 받으면 소나무는 속히 모노테르펜류를 50배 정도까지 제조해 벌레들이 견딜 수 없게 만든다. 또한 페놀류도 10배 이상 증산한다. 본격적인 전투는 이제부터 시작이다.

소나무가 모노테르펜류를 대량으로 생산하기 시작하면 좀벌레는 소나무가 만든 테르펜을 산화해 페로몬을 만들고, '좀벌레 아군들이여, 이곳에 모두 모여라. 대 화학전이 드디어 시작되었으니 도움이 필요하다!'는 SOS 메시지를 보낸다. 결국 모여든 좀벌레들은 충해전술(?)을 통해 대 화학전을 승리로 이끌고, 소나무는 드디어 굴욕스런 항복의 무릎을 꿇게 된다. 그러나 놀랍게도 화학전은 여기서 끝나지 않는다. 좀벌레는 자신이 사용한 공격 전술에 구멍이 뚫린 사실을 전혀 몰랐다. 즉 아군에게 보낸 SOS 신호가 소나무좀벌레를 먹이로 삼는 천적에게도 더 강한 신호로 전달된 것이다. 그리하여 제2의 화학전이 시작된다.

먹이사슬도 화학자의 입장에서 보면 화학전의 결과다. 식물과 벌레 사

이의 신기한 신호를 통해 벌어지는 화학전에 대한 이해는 이제 막 움트
는 화학형태학의 발전에 큰 도움이 되리라 기대한다.

페로몬은 동물들의 화학 커뮤니케이터

아빠 개미가 앞선 가운데 모두가 먹이를 찾으러 나섰다. 개미들은 먹이를 찾아 각자 흩어졌다가 잠시 후 스스로 집을 찾아와야 한다. 그런데도 새끼 개미들조차 집으로 돌아오는 길을 걱정하지 않는 것 같다. 어쩐 일일까? 한번 간 길은 절대로 잊어버리지 않는단 말인가? 어떻게 그럴 수 있을까?

사람은 두리번거리며 자기가 가야 할 길을 찾거나 다른 사람에게 물어볼 수도 있다. 그러나 곤충들은 주로 냄새나는 화학 물질을 분비하여 상대방과 의사소통을 한다. 다시 말해 곤충은 언어 대신 특수한 화학 물질을 분비해 소통을 하는데, 이 화합물을 통틀어 페로몬이라 부른다. 페로몬에도 여러 가지가 있으며, 개미의 경우는 길표지 페로몬, 경보 페로몬, 성유인 페로몬 등을 이용하는 것으로 알려져 있다. 따라서 길잡이 개미는 먹이를 찾아다니는 동안 엉덩이 부분에서 2-메톡시카르보닐-4-메

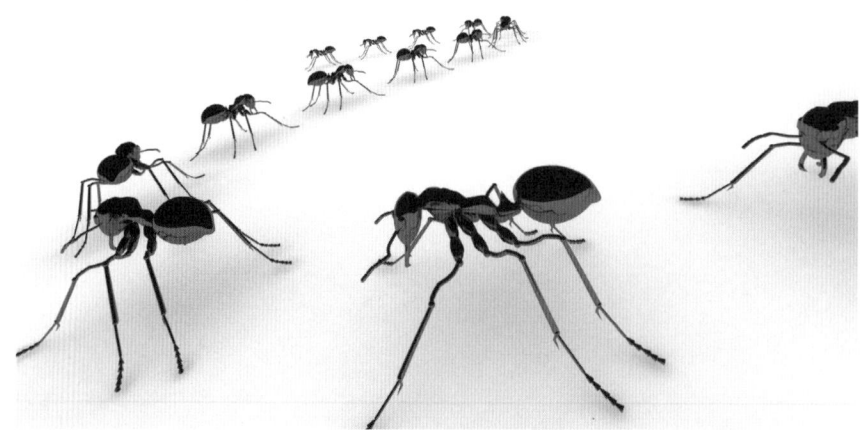

개미가 지구를 한 바퀴 돌며 길표지를 하는 데 필요한 페로몬이 0.33밀리그램밖에 안 된다니 개미들의 민감한 통신수단에 그저 놀랄 따름이다. © Windsteel | Dreamstime.com

틸피롤이라는 화학 물질을 분비하여 일정 간격으로 땅에 묻는다. 그러면 뒤따라가는 동료나 새끼 개미들이 이 길표지 화합물을 더듬이로 감지하며 줄을 지어 이동한다.

　페로몬이라는 단어는 우리가 잘 알고 있는 호르몬이라는 말과 닮았지만 기능은 전혀 다르다. 즉 호르몬은 자신을 위해 체내에서 만들어 체내에서 소비하지만, 페로몬은 체내에서 만든 후 다른 개체와 통신을 하기 위하여 미량이나마 체외로 분비한다. 여기서 말하는 미량은 정말로 적은 양을 의미한다. 개미가 지구를 한 바퀴 돌며 길표지를 하는 데 필요한 페

3. 자연 속의 화학 드라마

로몬이 0.33밀리그램밖에 안 된다니 개미들의 민감한 통신수단에 그저 놀랄 따름이다. 더구나 이 적은 양을 모아 그 구조와 기능을 밝히는 화학 자들의 노력과 능력은 한층 더 놀랄 만하다.

그런데 여러 마리의 개미가 길표지 페로몬으로 이 길, 저 길을 표시해 놓으면 뒤따라가던 개미는 어느 표지를 따라갈지 혼란을 겪지 않을까? 그러나 그 점은 조금도 걱정할 필요가 없다. 페로몬은 휘발성이 있기 때문에 통신사 노릇을 끝내고 조금 지나면 증발해버리고 만다. 또한 줄지어 가는 개미 사이에 장애물을 놓아 위험스럽게 하면, 개미는 얼른 먹이 사냥을 포기하고 동지들에게 알리기 위해 경보 페로몬을 분비한다. 그러면 뒤따라가던 개미들이 경보를 알아차리고 빠른 속도로 집을 찾아간다. 2-헵타논과 4-메틸-2-헥사논이라는 화합물이 일부 개미의 경보 페로몬이라는 것이 밝혀졌다.

꿀벌의 페로몬에 관한 연구도 많이 진척되었다. 게라니올과 시트랄이라는 분비물은 꿀이 많은 꽃이 어디에 있는지를 알려주는 일종의 길표지 페로몬이며, 초산 이소아밀이라는 에스테르는 경보 페로몬이다. 일부 곤충은 동족 인식 혹은 계급 인식 페로몬도 분비하며, 바퀴벌레는 전원 집합 페로몬을 자기 배설물 속에 섞어 분비한다. 그렇기 때문에 바퀴벌레는 집단으로 숨어 산다.

농사에 많은 피해를 주는 매미나방은 시스-7,8-에폭시-2-메틸옥타데칸이라는 긴 화학명을 가진 성유인 물질을 분비해 수컷을 유인하는데, 수컷의 감지 능력은 참으로 경이롭다. 지금까지의 연구 결과에 따르면 1

리터 분비물에 10^{16}분의 1그램만 있어도 이를 알아낸다고 한다. 하기야 매미나방 암컷 50만 마리의 꼬리 부분에서 성유인 물질을 추출해도 20밀리그램밖에 되지 않는다.

해충 박멸을 위해 인공 합성 페로몬 사용이 자주 논의되고, 또 일부는 실제로 사용되고 있다. 이렇게 미량을 다루어야 하는 화학자들의 어려움은 가히 짐작할 수 있다. 사람들이 말할 때는 공기 분자가 진동하고, 벌레들은 초미량 페로몬으로 통신하니, 겉보기에는 크게 달라도 분자에 의존한다는 점에서 별 차이가 없다면 논리의 비약일까.

식물들의
보이지 않는 싸움

정원의 잔디를 잘 가꾸는 일만큼 힘든 일도 드물지 싶다. 흔히 제초제를 뿌리면 잡초는 없어지고, 매일 물이나 열심히 주면 잔디가 저절로 자랄 것이라고 생각하지만 실제로는 결코 그렇지 않다. 농약의 독성이 두려우니 제초제를 자주 뿌리기도 그렇고, 일일이 여러 가지 잡초를 손으로 뽑자니 쉬운 일이 아니다. 더구나 잡초는 번식력이 왕성하여 자기 영역을 빠른 속도로 확장하면서 주위 잔디를 자라지 못하게 한다.

식물은 자신들의 영토를 지키기 위해 애쓰는데, 따뜻한 봄이 되어 진달래와 개나리가 화사하게 피어날 때 식물들의 영토 확장은 더욱 눈에 뜨인다. 이들은 옹기종기 모여 살면서 자기 나름의 군락을 이루는 것일 뿐인데, 색깔의 잔치는 더욱 아름답게 보이기만 한다.

그런데 왜 어떤 식물은 다른 식물보다 우세하여 더 빨리 영토 확장을 할 수 있을까? 이들은 서로 어떤 무기를 갖고 싸울까? 그중 일부는 물이나 영양분을 매우 잘 흡수하여 주위에 다른 식물이 잘 자라지 못하게 한다. 그리고 때로는 이웃 식물에 해를 주는 화학 물질을 방출하기도 한다.

한 예로 중앙아프리카 사막에 살고 있는 국화과의 한 식물은 자기 주위 1미터 이내에 다른 종류의 식물이 자라지 못하게 한다. 그리하여 물이 귀한 사막에서 자신에게 필요한 수분을 독차지한다. 이 식물이 자기 영토를 확장하는 방법은 특이한데, 먼저 3-아세틸-6-메톡시벤즈알데히드라는 비장의 무기를 자기 잎에 축적한다. 그리고 이 잎이 땅에 떨어져 분해되면 땅속에 스며들어 일종의 화학 무기로서 다른 식물의 생육을 방해한다. 해바라기 주위에 명아주 같은 잡초가 잘 자라지 않는 까닭도 해바라기가 잡초 성장을 막는 물질을 방출하기 때문이며, 사탕수수도 그런 물질을 내놓는다. 호두나무 주위에서 일부 식물이 잘 자라지 못하는 것도 같은 이유다. 이처럼 우리 눈에는 보이지 않지만 식물들 사이에 화학전이 벌어지는 것이다.

1950년대 일본 기타큐슈에 상륙한 한 외국산 식물이 일본 전역에 급속도로 퍼지면서 여러 종의 토종식물이 사라진 일이 있었다. 나중에야 이 식물의 뿌리에서 다른 식물의 생장을 막는 4,6,8-데카트리인-시스-2-엔산메틸이라는 화합물이 방출된다는 사실을 알게 되었다. 이 화합물은 탄소가 길게 열 개나 결합하고 있으며, 삼중결합 세 개와 시스형 이중결합 하나를 갖는 카르복시산의 메틸 에스테르인 특이한 구조를 지닌다. 농도가 10ppm만 되어도 무, 상추 등의 발아를 저해할 만큼 대단한 성능을 가진 화합물이었다.

인간만이 아니라 식물도 다른 식물에 대항하기 위하여 화학 무기를 사용한다는 점은 미래의 제초제 개발에 암시하는 바가 크다. 불행히도 이들 식물이 분비하는 화학 무기의 양이 무척 적고, 그 구조도 몹시 복잡하고 다양하지만 현재 과학자들은 이들 특수 물질을 분리하여 그 구조를 확인하고 활성을 연구하고 있다. 언젠가는 식물을 제초제 제조의 천연공장으로 사용할 수 있고, 효과적인 인공합성법이 개발되면 화학 공장에서 제조할 수도 있을 것이다.

식물뿐 아니라 여러 곤충과 벌레들도 적으로부터 자신을 보호하기 위하여 보호색으로 옷을 차려 입기도 하고 독성 화합물을 내뿜기도 한다. 결국 모든 생물이 화학 전쟁에서 이기기 위해 몸부림치고 있다고 해도 과장이 아니다. 생물 간의 약육강식은 화학 무기 경쟁의 승자와 패자를 가리는 일이라고도 할 수 있다.

광석이
보석이 되는 까닭

언제부터 여성의 치장에 보석을 사용했을까? 거의 알몸으로 살던 그 오랜 옛날에도 자연에서 쉽게 찾을 수 있는 예쁜 돌을 장식물로 사용했으니 참으로 보석의 역사는 길다고 하지 않을 수 없다. 그런데 여성들의 사랑을 받는 보석의 정체는 무엇일까?

가치 있는 보석의 요건으로는 아름다운 색깔과 광택, 견고성, 열과 화학 약품에 대한 안정성, 그리고 무엇보다도 희소 생산량을 들 수 있다. 다이아몬드가 아무리 단단하고 광택이 찬란하며 높은 온도에 견딘다 해도, 탄광에서 석탄 캐듯 대량 채굴된다면 보석으로서의 가치는 감소할 수밖에 없다.

대부분의 보석은 광석 속에 들어 있다. 예컨대 강옥(鋼玉)이라는 광석은 산화알루미늄(α-알루미나) 덩어리나 마찬가지다. 산화알루미늄은 결정이 매우 단단하기 때문에 이 광석을 분쇄한 연마제가 많이 사용되고

3. 자연 속의 화학 드라마

가치 있는 보석의 요건으로는 아름다운 색깔과 광택, 견고성, 열과 화학 약품에 대한 안정성, 그리고 무엇보다도 희소 생산량을 들 수 있다. © Rebekah Burgess | Dreamstime.com

있다. 또한 높은 온도에서 잘 견디므로 실험실에서 쓰는 도가니, 튜브 등을 만드는 데도 사용한다. 진홍색 루비(홍옥)와 파란색 사파이어(청옥)가 이 연마제와 대동소이하다면 여성들은 실망할까?

루비에는 산화알루미늄에 미량(0.2~0.3퍼센트)의 산화크롬이 불순물로 들어 있으며, 사파이어에는 산화티탄과 산화철이 0.1~0.2퍼센트 들어 있다. 이러한 불순물은 보잘것없는 싸구려 금속 산화물일 뿐이다. 그런데 알맞게 들어 있는 불순물이 아름다운 색깔을 내고, 이러한 천연 광석의 산출량이 매우 적기 때문에 비싼 보석 대접을 받고 있는 것이다. 현재는 산화알루미늄을 용융시키고 불순물을 첨가하여 서서히 결정화시킴으로써 인공적으로 보석을 만들기도 한다. 무색투명한 백사파이어는 이렇게 만든 산화알루미늄에 불과하며, 노랑 사파이어도 인공적으로 많이 제조되고 있다.

여성들이 좋아하는 보석으로 에메랄드(녹옥석)도 있다. 에메랄드는 녹주석이라는 광물에 들어 있는데, 녹주석에는 규산염(모래의 주성분)과 알루미늄, 그리고 자연계에 조금밖에 없는 베릴륨이 소량 들어 있다. 에메랄드는 불순물에 따라 청색, 분홍색, 금색, 녹색을 띠는데 그중 녹색이 가장 인기 있으며, 아름다운 녹색은 소량의 크롬으로부터 나온다. 엷은 청록색의 애쿼머린(남옥)도 에메랄드와 유사하다. 그 외에 규산염에 지르코늄이 불순물로 들어 있는 지르콘이라는 광석도 불순물에 따라 노란색, 갈색, 청색, 보라색, 자주색, 진홍색 등 다양한 색깔을 띤 보석을 만든다.

이렇듯 모든 보석은 다른 돌과 비교할 때 단단하고 광택이 난다는 특징 외에는 별다른 점이 없다. 그러나 그 속에 들어 있는 소량의 원소가 아름다운 색깔을 만듦으로써 광석의 가치를 높인다. 이런 점은 우리 인간도 마찬가지다. 우리 모두 기본 바탕에는 커다란 차이가 없으나, 거기에 개성과 능력이라는 색깔이 더해지면서 각자 독특한 빛을 발하게 된다.

3. 자연 속의 화학 드라마

마른 얼음과
젖은 얼음

누구나 드라이아이스를 처음 접하면 무척 신비로운 느낌이 들 것이다. 특히 아이들에게는 뿌연 연기가 피어오르는 듯 하늘거리며 공기 중으로 사라져가는 현상이 얼마나 신기하게 보일까? 드라이아이스는 액체 상태를 거치지 않고 직접 기체가 되어 없어지는 특성을 가지고 있는데, 이처럼 고체가 직접 기체로 바뀌는 현상을 승화라 한다. 드라이아이스는 어떻게 이런 현상을 보일까?

물은 대기압에서 0도일 때 얼음이 되고, 100도로 끓이면 수증기가 된다. 추운 겨울날 마당 빨랫줄에 동태처럼 얼어 있던 빨래가 며칠 후엔 잘 말라 있는 것을 볼 수 있는데, 이는 얼음이 녹지 않고 바로 기체가 되기 때문이다. 이런 현상은 공기 중에 수분이 적으면, 다시 말해 습도가 매우 낮으면 얼음도 물이 되지 않고 직접 기화할 수 있음을 보여준다. 화장실에 걸어놓은 나프탈렌이 다 없어지는 이유도 고체인 나프탈렌이 기화하기 때문이다.

어쨌든 물을 얼린 얼음과 달리 드라이아이스는 액체가 되지는 않으면서, 다시 말해 주변을 적시지 않고 승화해 없어지면서 훌륭한 냉동제 역할을 한다. 그렇기 때문에 적시는 성질을 가진 보통의 얼음과 구별하기 위하여 드라이아이스(마른 얼음)라고 부른다. 미국에 있을 때 보통 얼음은 웨트 아이스(젖은 얼음)라고 부르는 것을 들은 적이 있다.

이 드라이아이스는 탄산가스(이산화탄소) 덩어리에 불과하다. 대기압하에서 탄산가스를 영하 79도로 냉각시키면 드라이아이스가 되고, 이것을 영하 78도 이상으로 데우면 바로 탄산가스가 된다. 액체 이산화탄소를 얻으려면 기체 이산화탄소에 압력을 가해야 한다. 압력을 73기압으로 가하면 31도에서 액체가 되는데, 이 온도를 흔히 임계온도라 부른다. 왜냐하면 이보다 높은 온도에서는 아무리 높은 압력을 가해도 액체 이산화탄소를 얻을 수 없기 때문이다. 실험실에서는 종종 100도, 300기압에서 이산화탄소를 사용한다. 이런 조건에서 이산화탄소는 액체도 기체도 아닌 상태에 있는데 이를 초임계 유체 상태라 부른다.

이산화탄소는 냄새와 맛이 없고 불에 타지 않으며 공기보다 무거워 불을 끄는 소화제로 쓰인다. 액체 이산화탄소는 기화해도 나쁜 잔류물이 없으며 값이 싸고 화학 반응에 별로 참여하지 않는다. 또한 점성도가 매우 낮고 기름, 지방, 카페인, 향료 및 기타 식물성분을 잘 용해시켜서 이들을 용출하는 데 많이 사용된다.

초임계 유체 상태 이산화탄소는 약용식물, 꽃, 양념 등에서 유용 성분

3. 자연 속의 화학 드라마

을 추출하는 데 널리 이용되고 있다. 이 유체 이산화탄소와 액체 이산화탄소는 커피에서 카페인을 추출해 디카페인 커피를 만드는 데도 사용한다. 또 포테이토 칩 표면에 있는 기름을 액체 이산화탄소로 닦으면 표면의 지방 함량이 크게 줄어든다. 요즈음은 염색공업에도 액체 이산화탄소를 사용하자는 의견들이 제기되고 있다. 현재 염색공업에서 나오는 폐수는 처리가 힘들지만 액체 이산화탄소를 사용한 후 폐액에서 이산화탄소를 날려 보내면 다루기 쉬운 고체 찌꺼기만 남기 때문이다.

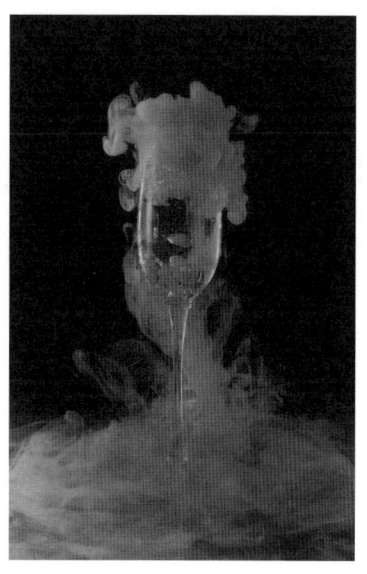

드라이아이스는 영하 78도 이하에서만 존재하므로 우리가 보는 드라이아이스 덩어리나 가루는 상상도 못할 만큼 차가운 얼음이다.

© Vycheslav Leskovskiy | Dreamstime.com

한 가지 알아두어야 할 점은 쇼 무대에서 볼 수 있는 안개는 이산화탄소가 아니라는 것이다. 드라이아이스를 기화시키거나 액체 이산화탄소를 증발시키면 주위의 열을 많이 빼앗아서 공기 속에 있는 습기가 작은 물방울로 엉기거나 얼어 허옇게 안개를 만든다. 우리는 기체가 된 이산화탄소가 아니라 이런 물방울과 미세한 물 얼음을 볼 따름이다.

드라이아이스는 영하 78도 이하에서만 존재하므로 우리가 보는 드라이아이스 덩어리나 가루는 상상도 못할 만큼 차가운 얼음이다. 종종 드라이아이스가 날아간 자리에 축축한 자국이 남는데 이는 드라이아이스 때문이 아니라 드라이아이스가 승화할 때 그 표면에 공기 중의 수분이 엉겨 얼어붙어 있다가 생긴 젖은 얼음(물 얼음)이 드라이아이스가 모두 승화한 뒤 녹기 때문이다.

연료를 태울 때 생기는 이산화탄소가 온실 효과를 일으켜 지구 온난화 현상을 초래하므로 항상 공해와 연결시켜 생각하고 있다. 그 기체가 고체가 되면 드라이아이스가 되니 상태 변화란 참으로 재미있는 현상이다.

개구리는 감기에 걸리지 않는다

역사적으로 보면 오랫동안 배를 타야 했던 항해사나 탐험가, 그리고 군인들은 주로 저장식을 먹어야 했고, 이로 인한 비타민 부족으로 괴혈병에 걸려 죽기까지 했다. 16세기에 들어와서야 네덜란드와 영국의 항해사들이 비로소 신선한 과일과 레몬주스가 뱃사람들의 건강 유지에 필수적임을 알았다. 그 후 1795년에 영국 해군은 함대에 반드시 레몬을 공급하도록 했다. 비타민 C의 공급이 공식화된 것이다.

비타민 C는 결합 조직인 콜라겐 생성에 필수적이며 신속하게 괴혈병을 치료해준다. 다른 병에 대한 저항력도 증가시킨다고 알려져 있지만 이에 대해서는 아직도 찬반양론이 엇갈리고 있다. 노벨 화학상과 평화상 수상자인 라이너스 폴링 박사가 강력히 주장했지만 감기에 대한 약효는 지금도 논란의 대상이다.

비타민 C는 물 3밀리리터에 1그램이 녹을 정도로 물에 대한 용해도가 좋아, 과량 섭취해도 곧 소변으로 배출되며 체내에 축적되지 않는다. 그러나 그로 인한 문제가 아직 분명하게 규명된 건 아니다. 흔히 비타민 C를 고온에서 오랫동안 요리하면 파괴된다고 하는데, 화학적으로 볼 때 파괴라는 표현은 적절하지 않다. 실제로는 산화되기 때문이다. 오렌지주스를 종이팩에 넣은 채 냉장고에 3주만 두어도 비타민 C의 절반이 산화되며, 냉동 오렌지 농축액도 1년이 지나면 원래 비타민 C의 10퍼센트를 잃는다고 한다. 그렇다고 비타민 C의 산화를 지나치게 걱정할 필요는 없다. 비타민 C의 산화물도 어느 정도는 비타민 C와 같은 생리 활성을 지니고 있기 때문이다. 예컨대 비타민 C의 10퍼센트를 잃어도 생리 활성은 약 3퍼센트밖에 잃지 않는다고 한다.

현재 미국 과학아카데미가 권장하는 비타민 C의 1일 섭취량은 연령과 남녀에 따라 조금씩 차이가 있으나 대략 60밀리그램 정도이며, 이는 오렌지주스 반 잔 정도에 포함되어 있는 양이다. 따라서 채소를 많이 먹는 우리나라 사람들은 비교적 충분한 양의 비타민 C를 섭취한다고 할 수 있다. 한편 천연 비타민 C와 합성 비타민 C는 똑같이 아스코르브산이므로 천연 제품이 더 좋다는 광고는 과학적으로 볼 때 근거가 약한 이야기다.

아이러니하게도 가장 진화된 동물인 인간과 가장 진화가 덜 된 무척추동물, 그리고 물고기는 체내에서 비타민 C를 만들지 못한다. 반면에 진화의 역사 가운데에 있는 양서류와 파충류는 체내에서 비타민 C를 합성할 수 있다. 일찍부터 과일과 열매를 따먹으며 살아온 인간은 음식물로부터 얻는 비타민 C의 공급량이 충분하여 자체 합성 능력을 잃어버린지도 모른다. 감기에 걸려 기침하는 개구리를 본 기억이 없는 것도 역시 그 런 까닭일까?

독성이 있는
천연물 아드레날린

흔히들 천연물은 안전하다고 착각하기 쉽다. 심심치 않게 독버섯과 복어 알을 먹고 사망했다는 뉴스가 우리의 시선을 끌지만, 독버섯과 복어알에 들어 있는 치명적 독 성분이 천연 화합물임을 간과하는 경우가 많다. 이 독 성분이 무엇인지는 쉽게 인터넷을 통해서도 찾아볼 수 있기에 그 화 합물들의 이름과 구조는 독자들에게 숙제로 남겨둔다.

천연 화합물 중에는 우리 몸의 부신에서 생산되는 아드레날린이라는 호르몬이 있다. 이 호르몬의 상용명은 에피네프린(epinephrine)이며 공식 화학명은 4-[1-히드록시-2-(메틸아미노)에틸]벤젠-1,2-디올로 매우 복 잡하며, 분자식은 $C_9H_{13}NO_3$다. 이 화합물은 1895년에 폴란드의 시불스 키가 처음으로 순수하게 분리했고, 존스홉킨스 대학에 미국의 첫 약학 과를 1893년에 설립한 존 아벨이 그 화학 조성을 밝혔다. 처음에는 동물 의 부신에서 추출한 아드레날린을 판매(휄스트 사 1900년)하였으나, 1906

년부터 합성 아드레날린이 시판되기 시작했고 현재는 모두 합성 제품이 사용되고 있다. 아드레날린의 다른 이름인 에피네프린은 희랍어 epi와 nephros에서, 아드레날린은 라틴어 ad-와 renes에서 유래하며, 둘 다 '콩팥 위'(on the kidney)라는 의미로 부신을 가리킨다. 우리나라에서는 후자를 더 친근하게 느끼기 때문에, 여기서는 에피네프린 대신 아드레날린이라는 이름을 사용하기로 한다.

우리가 경계하거나 두려운 처지에 놓이면, 가슴이 두근거리면서 심장 박동과 순환하는 혈액의 양이 늘어나게 되는데, 이는 아드레날린 때문이다. 아드레날린은 우리 뇌의 신경 자극을 받은 부신에서 생산되며, 혈액으로 들어가 빠르게 수용체를 활성화시킨다. 많은 사람들 앞에서 연설을 해야 하거나, 예상치 않은 나쁜 소식을 들었을 때도 혈류 속의 아드레날린 양이 급속히 증가한다. 아드레날린을 종종 '경계, 탈출의 호르몬' 이라고 부르는 까닭도 여기에 있다. 위험을 경계하고 그에 대응해야 함을 알리기 때문이다. 아드레날린은 심장마비, 과민성 쇼크, 심한 천식, 꽃가루병 등에 약으로 쓰이고 있으며, 안구 수술 전 안압 저하를 위한 안약으로도 쓰인다.

그러나 아드레날린은 독성이 강해 1회에 0.2~0.5mg 정도의 소량이 처방된다. 아드레날린은 우리 몸에서 생산되는 천연물이지만, 매우 독성이 커 LD_{50}(50%가 생존 또는 사망하는 양)가 체중 킬로그램 당 4mg(밀리그램=1000분의 1그램)이다. 위에서 얘기했듯이 아드레날린은 생명을 구해주는 유용한 약인 동시에, 심장이 약한 사람이나 환자에게는 치명적인 독이 된다. 그러므로 천연물은 무독하거나 무해하다는 생각은 버려야 한다.

아드레날린의 독성을 악용한 사건이 2001년에 미국을 뒤흔들었다. 사건이 미국사회에 알려진 것은 1995년 7월 야도고브스키라는 미국 퇴역 군인의 갑작스런 사망 때문이었다. 66세의 야도고브스키는 괴저병으로 다리 하나를 절단했으며 종종 병원에 입원하는 신세였던 모양이다. 당뇨병과 고혈압에 시달리면서도 흡연과 심한 음주를 멈추지 못했고 상당히 비만이었다고 한다. 결국 그는 장기 요양동에 입원하였다. 고통에 시달리던 야도고브스키를 두 간호사가 힘들여 진정시키고 입원실을 막 떠날 때, 그들은 길버트 간호사가 주사기를 들고 그의 입원실로 들어가는 것을 보았다. 곧이어 '이러지 말아요. 제발, 날 죽이려고 이래요!' 하는 야도고브스키의 외치는 소리가 병실 밖에까지 들렸다. 이 소리를 듣고 이 두 간호사가 입원실로 다시 왔을 때는 길버트 간호사는 이미 보이지 않았고 야도고브스키도 다시 조용해져 있었다. 아무일 없으려니 하고 두 간호사가 다시 병실을 떠난 직후 그는 사망하였다.

3년 후 그의 시체를 다시 부검해보니 체내 아드레날린이 비정상적으로 많이 있다는 것을 발견했다. 길버트가 아드레날린을 과량으로 주사했으며, 그로 인해 야도고브스키가 사망하였다는 판단이 내려졌다. 결국 2001년에 미국 법정은 길버트가 같은 방법으로 야도고브스키뿐만 아니라 다른 환자 4명을 더 살해했으며, 아마도 간호사 생활 중 50여 명의 환자를 아드레날린 주사로 살해했을 것이라는 끔찍한 범죄 사실을 발표하기에 이르렀다. 아직도 길버트가 왜 그런 범죄를 저질렀는지는 분명치 않으며, 난지 아드레날린 주사 하나가 사인으로 쉽게 포착되지 않는 점을 악용했던 것으로 추측하고 있다. 길버트는 사생활에도 문제가 있었던 모양이다. 또 귀찮게 구는 환자를 손쉽게 사망시킬 수 있음에 착안했고, 응급상황을 즐겼던 정신적 질환도 일부 지니고 있었지 않았나 싶다. 어쨌든 여기서 강조점은 우리 인체가 스스로 생산하는 화합물도 넘치면 치명적 독성을 지닐 수 있다는 사실이다.

자몽주스의 위험

어느새인지 오렌지주스보다는 자몽주스를 더 즐겨 마시게 되었고, 오렌지보다는 자몽에 손이 더 간다. 그 쌉싸름한 맛에 달고 신맛이 함께 섞인 채 그만이 주는 독특한 향에 매료되었는가 보다. 그리고 왠지 오렌지보다는 자몽이 더 건강에 좋을지 모른다는 막연한 생각이 들기도 한다. 더 비싸기 때문일까? 아침잠 쫓는 데도 오렌지주스보다는 자몽주스가 훨씬 효과적으로 느껴진다.

그런데 최근에 캐나다의 맥길대 화학과 교수인 슈바르츠 박사가 일상 생활 속의 화학 이야기에 관해 쓴 책을 읽다가 깜짝 놀랄 만한 새로운 지식을 얻게 되었다. 다름아닌 자몽주스가 줄 수 있는 부작용에 관한 이야기였다.

얼마전 스위스 취리히 병원에서 있었던 일이다. 이 병원 의사들에게 당황스러운 일이 벌어졌다. 심장이식을 받은 61세 환자가 지난 1년 동안

3. 자연 속의 화학 드라마

잘 지내왔는데 요즈음은 계속해서 고단하다고 불평하는 것이 아닌가. 혈액 검사로는 단 한 가지 단서만 잡아낼 수 있었다. 장기 이식 후 거부반응을 줄여주도록 투약하고 있던 시클로스포린이 혈장에서 이상할 정도로 적게 검출되었다. 그 원인을 밝히기 위해 의사들은 그 환자의 심장근육의 생체조직검사를 하였다. 이 생검으로 환자의 몸이 이식한 새 심장을 거부하고 있음을 재차 알게 되었다. 1년이나 괜찮던 환자에게 무슨 변화가 일어났을까? 환자가 의사들이 알지 못한 사이에 어떤 잘못을 했을까?

이 환자는 몇 주 전에 가벼운 우울증이 찾아왔다고 판단했다. 이를 가볍게 생각한 환자는 시중에 항우울제로 널리 알려진, 의사의 처방없이 쉽게 살 수 있는 건강보조제 세인트 존스(St. John) 약초제를 사 먹었다. 그는 사전에 의사에게 상의할 필요를 전혀 느끼질 못했다. 이 천연 건강보조제가 그에게 문제가 되는 성분을 포함하고 있다는 사실을 전혀 모른 채……. 시클로스포린을 체내에 새로 유입된 이물질로 인식하고 이를 분해하는 체내효소의 생산을 촉진하는 성분이 건강보조제에 들어 있다는 것을 환자가 알 리가 없었다. 의사들은 즉시 이 환자에게 강력한 반 거부약을 10일 계속 주사해 그 환자의 생명을 구했다. 약초 성분의 생리 작용을 모르면서 함부로 건강보조제나 민간요법을 택할 때 경험할 수 있는 위험을 경고하는 사례였다.

다시 자몽 이야기로 돌아가자. 펠로디핀(Felodipine)은 혈압을 낮추는 데 매우 효과적인 약이다. 캐나다의 웨스턴온타리오 대학 의료진은 펠로디핀과 알코올 간의 부작용을 연구하기 위해 자몽주스에 알코올을 섞어 모르게 하여 자몽주스를 마시게 하였다. 결과는 연구자들을 매우 놀라게 하였다. 알코올은 크게 부작용을 주지 않았지만 오히려 자몽주스가 펠로디핀의 혈압 강하 작용을 배가하는 것으로 나타났다. 자몽에 들어 있는 플라보노이드라는 화합물류가 원인으로 보인다. 그러나 플라보노이드가 직접 관여하지는 않고 인체 내에서 생기는 플라보노이드 신진대사물이 관여한다고 이해하고 있다. 지금까지 밝혀진 바로는 콜레스테롤 치를 낮추기 위해서 먹는 약, 콧물 약, 호르몬 보충제 일부에도 영향을 준다.

이상의 얘기를 통해 우리는 중요한 의과학적 상실을 도출할 수 있다. 즉 의사의 처방 없이 손쉽게 접근이 가능한 건강식품과 민간요법을 고를 때 조심해야 한다는 점이다. 우리나라는 한방, 양방, 민간 요법이 혼재하여 의사와 상의 없이 여러 가지 약을 혼용하는 경우를 종종 본다. 큰 변을 경험할 수도 있으니 지극히 조심할 일이다.

지금까지 경험과 포함 성분을 보면 자몽주스 대신 오렌지주스는 위에서 말한 부작용 가능성이 훨씬 적다니, 혹시라도 약 먹을 일이 생기거든 자몽주스 대신 오렌지주스를 선택해야 할 모양이다.

물과 얼음은 무색이 아니다

새삼 물의 색깔을 묻는 것은 어리석은 질문처럼 보인다. 얼음의 색깔도 마찬가지다. 시원스레 눈앞에 펼쳐지는 청록색 바닷물이나 컵 속에 있는 물은 항상 무색으로 보인다. 그러나 배달부 아저씨의 자전거에 실린 얼음덩이는 그 크기에 따라 무색투명해 보이기도 하고, 퍼렇게 보이기도 하고, 어둡게 보이기도 한다.

학교에서는 물의 색깔을 무색으로 배우지만 엄격히 말하면 이것은 틀린 이야기다. 실제로 물은 매우 옅은 청록색이기 때문이다. 양끝이 투명한 금속 파이프에 물을 채우고, 한쪽에서 백색광을 비추어보면 물의 색깔을 알 수 있다. 파이프의 길이가 1미터만 되어도 청록색을 알아볼 수 있고, 파이프가 길어질수록 색깔이 짙어진다. 무색 플라스틱이나 실리카 튜브를 사용해도 같은 결과를 얻을 수 있다. 그러나 파이렉스 유리 튜브에서는 이온성 불순물의 녹색 때문에 물의 색이 짙어 보인다. 또한 정제하지 않은 천연수는 옅은 녹색을 지닌 유기체 불순물 때문에 지나치게 짙은 색깔로 보일 수도 있다.

왜 정제한 물이 청록색일까? 물에 가시광선을 통과시키면 황색과 적색 부분의 일부는 흡수되고 청색과 녹색은 그대로 통과한다. 그러나 적색 부분이 흡수되는 정도는 아주 약해서 빛이 물속을 통과하는 거리가 충분히 커야만 그 효과를 알아볼 수 있다. 긴 파이프에 들어 있는 물에서는 청록색 빛의 투과가 상대적으로 크기 때문에 청록색이 뚜렷하게 나타나게 된다. 과학자들은 흡수분광분석법으로 이 같은 연구를 수행한다. 얼음의 흡광을 조사하는 것은 물보다도 더 어렵다. 아무리 조심스럽게 물을 얼려도 결함 없는 하나의 얼음 결정을 만들기는 매우 힘들다. 얼음이 만들어지는 과정에서 기포가 생기기도 쉽고, 큰 얼음덩이 속에 생기는 작은 결정들의 표면에서 빛이 산란되어 빛의 투과가 어려워지며, 또한 빛을 흡수할 수 있는 불순물을 완전히 제거하기도 어렵기 때문이다.

물보다 얼음이 장파장 쪽 적색광을 잘 흡수하는 것은 흔히 얼음 속에서 물분자들 사이에 만들어지는 수소결합 때문이다. 어찌 되었든 얼음은 물처럼 두께가 얇을 때는 무색으로 보이지만, 두께가 두꺼워지면 청록색 빛의 투과가 뚜렷해져 청록색으로 보인다. 그러나 두께가 더 늘어나면 청록색에서 암청색, 어두운 색으로 변한다. 얼음 속의 구조적 결함 때문에 빛의 투과를 막는 산란 현상과 빛의 흡수가 커지기 때문이다.

물과 얼음이 빛을 흡수하는 특성은 물과 얼음의 구조에 관해 중요한 정보를 제공해줄 뿐만 아니라, 물속에 사는 생물이 얼마나 많은 빛을 받고, 어떤 광화학 반응을 통해 생명을 유지하는가를 이해하는 데도 매우 중요하다. 또한 지구 표면의 70퍼센트나 차지하고 있는 물과 얼음의 흡광 및 광산란 특성은 지구 기후 변화를 이해하기 위해서도 꼭 필요한 지식이다. 대기, 바다, 얼음 및 하천, 호수 및 바다 간의 광에너지 전달 및 이동이 지구 기후에 지대한 영향을 미치기 때문이다.

하늘이 파랗게 보이는 것도 물 때문이다. 광물리학에 의하면 빛의 파장보다 작은 알갱이들은 장파장보다 단파장의 빛을 더 많이 산란시킨다. 다시 말해서 대기 중에 떠 있는 작은 수증기 방울들이 레일리 산란(Rayleigh scattering)을 일으키기 때문에 하늘을 에메랄드 색으로 보이게 한다. 더욱이 대기 중의 산소분자가 붉은 빛을 선택적으로 흡수하기 때문에 하늘은 더욱 푸르게 된다. 물속에 녹아 있는 산소도 물이 푸르게 보이도록 하지만 그 역할은 그다지 크지 않다. 물은 결코 무색이 아니다.

미래의 에너지원, 태양 전지

인류는 언제까지 석유를 사용할 수 있을까? 우리가 어렸을 때 들은 예측대로라면 석유는 20세기가 다 가기 전에 고갈되어 지금쯤 인류는 전멸의 공포에 떨고 있어야 한다. 그러나 다행히도 그런 날이 곧 올 것 같지는 않으며, 한 세기 정도는 더 사용할 수 있을 것 같다. 아직도 여기저기서 새로운 유전이 발견되고, 대체 에너지 개발로 가급적 석유 사용량을 줄이려는 노력이 세계적으로 큰 호응을 얻고 있다.

석유와 석탄, 그리고 천연가스를 합쳐 화석 연료라 부르는데, 이 가운데 우리나라는 소량의 석탄만 생산하고 있다. 다행스러운 일은 현재 전세계 석탄의 총매장량이 연료적 가치로 볼 때 석유의 10배나 된다는 점이다. 또한 아직 미미한 정도이지만 풍력, 조력, 태양 에너지 등 대체 에너지에서 태양 에너지의 사용이 점차 증가되리라 예상된다.

우리나라에서도 집열판에 모은 햇빛으로 물이나 공기를 데워 난방 에너지를 절약하는 소위 솔라하우스(태양열 주택)를 쉽게 볼 수 있고, 집열판이 태양의 방향을 추적하여 받은 열로 물을 끓여 증기를 만들어서 발전하는 시설을 비교적 쉽게 건설할 수 있다. 그밖에도 무궁무진한 태양 에너지를 사용하는 방법의 하나가 바로 태양 전지다.

태양 전지는 우리가 흔히 사용하는 전지와 근본적으로 원리가 다르다. 가장 큰 차이점은 무엇일까? 전지는 화학 작용을 이용해 전기 에너지를 발생시키는 장치지만 태양 전지는 화학 작용이 관여하지 않는다. 화학에서는 전자를 잃으면 산화되었다고 하고, 전자를 얻으면 환원되었다고 한다. 따라서 환원제와 산화제를 섞으면 전자가 자발적으로 환원제에서 산화제로 옮겨간다. 이때 전자가 도선을 통해 옮겨가면 갈바니 전지가 되고, 전자가 흘러가는 에너지를 사용해 회중전등을 켤 수 있다. 이런 갈바니 전지를 직렬로 연결하면 배터리가 되는데, 자동차 배터리도 이런 장치에 지나지 않는다.

가장 간단한 경우를 보면 태양 전지는 실리콘 반도체 두 개 층으로 되어 있다. 두꺼운 중심층은 아르신(비소)이 조금 들어 있는 n형 반도체이고, 이 중심부를 싸고 있는 얇은 층은 붕소를 조금 갖고 있는 p형 반도체이다. 여기서 n은 네거티브, p는 포지티브를 의미한다. n형 반도체 부분에는 전자가 풍부하고, p형 반도체 부분에는 전자가 모자라서 이 부분으로 전자가 흘러 들어가려고 하는데, 외부에서 1000볼트 전압을 걸어주어도 이 전자의 흐름을 막을 수 없으니 실로 엄청난 힘이라 하겠다. 이때 전기회로를 통해 전자를 흐르게 하여 그 에너지를 유용하게 사용하는 장

무궁무진한 태양 에너지를 사용하는 방법의 하나가 바로 태양 전지다. © Atm2003 | Dreamstime.com

치가 바로 태양 전지다. n형 반도체는 느슨하게 붙들려 있는 전자가 많아서 햇빛을 쐬어주면 이들 전자는 p형 반도체 쪽으로 향하는데 이때 이동하는 전자들에 의해 생성되는 전류를 에너지로 이용하는 것이다.

태양 전지는 우주선 내의 동력원으로 사용되고 있으며, 재래 전지에 비해 몇 가지 장점을 갖고 있다. 즉 완전한 고형 전지로 액체 성분이 없으며, 부식성 화학 물질이 들어 있지 않을 뿐 아니라 햇빛이 있는 동안에는 무한정 전기를 얻을 수 있다.

그러나 태양 전지는 몇 가지 단점도 있다. 제조 비용이 많이 들고, 전력을 많이 생산하려면 전지를 크게 만들어야 하며, 앞에서도 말했듯이 햇빛이 있는 동안만 작동한다는 점이다. 이런 단점을 해결하기 위해 비용이 적게 들고 실리콘 반도체보다 햇빛에 더 민감한 반도체를 찾고 있는데, 황화카드뮴과 비소화갈륨이 그 대표적 예다.

매년 지구가 태양으로부터 받는 에너지는 실로 막대해서 2×10^{21} J(줄) 정도라고 한다. 이는 현재 추산되고 있는 세계 석유 매장량을 에너지로 환산한 값의 300배에 해당하는 엄청난 양이다. 이 가운데 아주 적은 양만이 지상의 수분을 증발시켜 구름을 만들고 비가 오게 하여 수력 발전을 가능하게 하고 있을 뿐이다.

만약 우리가 지구상에 도달하는 태양 에너지의 1만 분의 1만 사용할 수 있어도 인류의 에너지 문제는 완전히 해결된다고 한다. 앞에서 말한 태양 전지의 경우, 전지에 햇빛이 닿으면 태양 에너지의 10퍼센트 정도를 전기 에너지로 바꿀 수 있는 고효율성을 보여준다. 앞으로 효율성이 더 높고 값이 싼 태양 전지가 개발되어 대규모 전기 에너지를 얻음으로써 인류가 에너지 문제로부터 해방되기를 바랄 뿐이다. 언젠가 우주에 떠 있는 발전소가 보내는 전기로 지구를 밝힐 수 있는 날이 오리라는 기대는 너무 비약일까.

단풍이 만드는 가을의 화학 드라마

우리나라는 무더운 여름이 지나고 나면 어김없이 단풍의 계절이 찾아온다. 온 산천이 짙은 초록 옷을 서서히 벗어버리고 노랑, 주황, 빨강 옷으로 갈아입는다. 초록 나뭇잎은 어떤 화학 변화를 일으키기에 가을마다 아름다운 색깔의 향연을 베푸는 걸까? 또 은행나무나 포플러 잎은 노랗게 변하는데 왜 단풍나무나 옻나무 잎은 빨갛게 변할까? 식물의 잎은 주로 초록색을 띠는 엽록소(클로로필)와 노란색을 띠는 카로티노이드계 색소를 지니고 있다. 봄이나 여름에 주로 초록색으로 보이는 것은 녹색인 엽록소가 워낙 많이 들어 있어 노란색을 압도하기 때문이다.

그런데 가을이 되면서 기온이 떨어지면, 광합성의 주역을 맡았던 엽록소는 일거리를 잃고 자기분해라는 쓸쓸한 길을 가게 된다. 엽록소가 분해되어 나뭇잎의 초록색이 사라짐으로써 비로소 카로티노이드의 노란색이 드러나게 된다. 은행나무 잎이 노랗게 물드는 것은 바로 이와 같은

가을이 되면서 기온이 떨어지면, 광합성의 주역을 맡았던 엽록소는 일거리를 잃고 자기분해라는 쓸쓸한 길을 가게 된다. © Spaxia | Dreamstime.com

화학 반응 때문이다.

　한편 단풍나무나 옻나무에서는 전혀 다른 변화가 일어난다. 잎에서 광합성으로 만들어진 당류가 날씨가 추워지면서 줄기로 수송되지 못하고, 대신 잎 속 효소 작용으로 빨간 안토시아닌류 색소를 만드는 것이다. 따라서 녹색은 사라지고 잎 속에 있던 카로티노이드류의 노란색과 안토시아닌류의 붉은색이 함께 주황색을 만든다. 그러나 가을이 깊어지면 안토시아닌 색소가 더욱 많아져 잎사귀가 빨갛게 물들게 된다. 안토시아닌 색소가 단풍잎에서만 만들어지는 것은 아니다. 장미의 붉은 색소, 선홍초의 파란색도 안토시아닌이다.

그런데 같은 색소가 어떻게 다른 색을 낼까? 같은 색소라도 그 색소가 염기성 중에 있는지 산성 속에 있는지에 따라 색깔이 다를 수 있다. 즉 안토시아닌은 장미꽃에서는 산성인 데 반해 선홍초에서는 염기성이며 칼륨염으로 존재한다. 화학 실험실에서 자주 사용하는 지시약은 대부분 합성색소지만, 산성도에 따라 화학 구조가 바뀌어서 색깔이 변한다. 매년 열리는 과학경시대회 출품작 중에는 종종 천연식물성 색소를 지시약으로 사용한 경우가 있다. 산성도에 따라 색깔을 달리하는 색소를 발굴한 것이다.

가을이 깊어지면 우리는 자연이 연출하는 식물성 색소의 합성과 분해라는 화학 변화의 아름다움을 마음껏 즐기게 된다. 하나둘 떨어지면 끝나버릴 잎사귀들의 잔치를 아쉬워하면서……

3. 자연 속의 화학 드라마

지구의
생명을 지키는 오존층

남극의 오존층에 뚫린 구멍이 점점 커지고 있다고 세계가 떠들썩하다. 오존 기체는 공기 중에 1ppm(100만 분의 1)만 있어도 목이 아프고 호흡기에 자극을 받아 기침이 나며 피로감을 느낄 정도로 독성이 크다. 농도가 더 높아지면 사람의 목숨을 앗을 수도 있다. 자동차 등의 내연 기관에서 배출되는 산화질소가 바로 오존을 만드는 주범인데, 오존은 스모그를 형성하는 주원인이 되기도 한다. 이처럼 해로운 오존층이건만, 왜 요즈음 성층권에 있는 오존층이 감소한다고 전 세계가 걱정일까?

성층권은 지상 10~50킬로미터에서 지구를 에워싼 대기층으로 평균 10ppm 정도의 오존을 포함하고 있는데, 지표로부터 약 20킬로미터 되는 지점에서 오존이 가장 많이 발견된다. 놀랍게도 오존층은 태양으로부터 오는 강렬한 자외선을 99퍼센트 정도나 흡수하여 지구상의 인간과 동물, 식물 등의 생명을 수호하는 경이로운 보호막 노릇을 하고 있다. 그러므

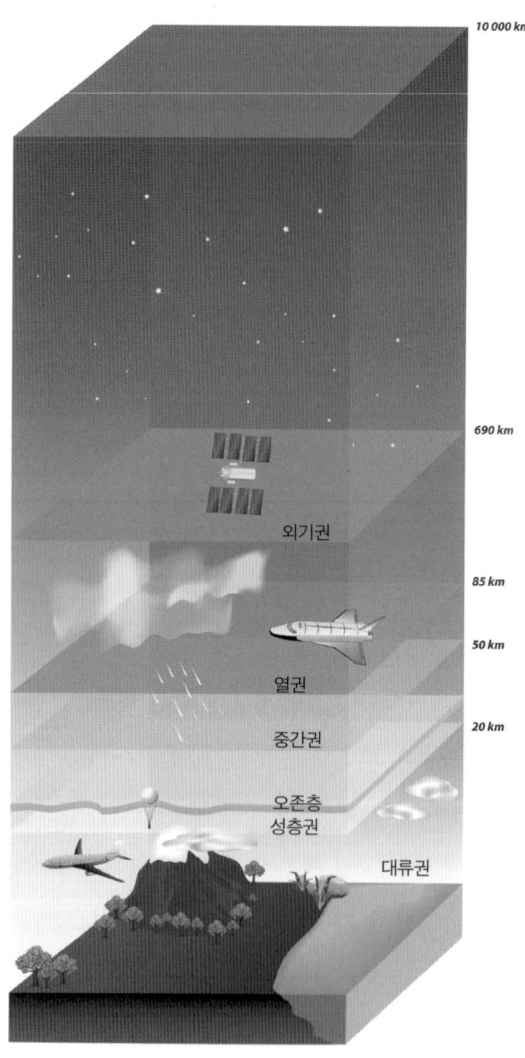

10 000 km

690 km

외기권

85 km

50 km

열권

중간권

20 km

오존층
성층권

대류권

놀랍게도 오존층은 태양으로부터 오는 강렬한 자외선을 99퍼센트 정도나 흡수하여 지구상의 인간과 동물, 식물 등의 생명을 수호하는 경이로운 보호막 노릇을 하고 있다. © Designua | Dreamstime.com

로 오존층이 없다면 강력한 자외선이 태양으로부터 직접 지표까지 도달해 피부에 피부암을 유발하고, 수중 생태계 및 식물계에도 중대한 영향을 끼친다.

그러면 오존층은 왜 생겼고, 강한 자외선으로부터 어떻게 우리를 보호할까? 성층권에 있는 산소 분자가 반응하여 만들어진 오존 분자는 자외선을 흡수하여 다시 산소 분사와 산소 원자로 바뀐다. 이 반응은 다행히 가역 반응이어서 성층권에서는 매일 3억 톤의 오존이 생성되며, 동시에 같은 양의 오존이 자외선에 의해 파괴된다.

문제는 1970년 이후 오존층의 오존 함량이 계속 감소하고 있다는 점이다. 한 예로 북위 45도 상공 성층권의 오존 양은 10년에 2~3퍼센트씩 줄어들고 있으며, 매년 10월의 조사 기록에 의하면 남극 성층권의 경우는 감소가 특히 심하여 현재의 오존 양은 1970년 이전보다 절반 이하로 줄었다고 한다.

오존층의 감소를 유발하는 요인에는 여러 가지가 있으나 우리가 냉동제, 분무제, 발포제 등으로 사용해온 클로로플루오로카본류(CFC)와 이와 유사한 할론들이 원흉인 것 같다. 흔히 프레온가스라고 알려져 있는 이 화합물들은 쉽게 분해되지 않고 오존층까지 침투하며, 그곳의 강한 자외선으로 분해되어 염소 원자를 생성한다. 이 염소 원자는 반응성이 매우 커서 쉽게 오존과 연쇄 반응을 한다. 연구 결과에 의하면 성층권에서 생긴 염소 원자는 대기권으로 다시 돌아오기 전에 오존 분자 10만 개를 분해할 수 있다고 한다.

미국 환경보호청은 지금과 같은 속도로 오존층이 파괴된다면, 2075년에는 인류의 15퍼센트 이상이 태양으로부터 오는 강한 자외선에 노출되어 피부암을 앓게 될 것이라고 경고하고 있다. 따라서 선진국들은 이미 헤어스프레이와 살충제 등의 분무제에 프레온가스 사용을 규제했고, 1987년에는 국제적으로 이를 규제하기 위해 '오존층을 파괴하는 물질에 관한 몬트리올 의정서'를 채택하기도 했다. 우리나라는 1992년 5월 이 국제협약에 가입하여 오존층 파괴 물질의 생산과 사용을 규제하고 있다. 다행히 프레온가스 제조가 중단되었으며, 대체물질 개발도 활발하여 오존층 파괴는 점차 우리들의 염려에서 벗어나는 느낌이다.

식물에도 호르몬이 있다

유럽의 일부 도시에서 아직도 사용되고 있는 가스 가로등은 한껏 낭만적인 분위기를 돋워준다. 그런데 이상하게도 가스등 가까이 있는 가로수는 수은등 가까이에 있는 가로수보다 낙엽이 빨리 진다. 그런가 하면 아직 충분히 익지 않아 시퍼런 레몬을 석유스토브 위에 놓아두면 색이 노랗게 변한다. 그러나 전기스토브 위에서는 색깔 변화가 느리다. 이런 현상은 가스등이나 석유스토브로부터 나오는 에틸렌 기체 때문이다. 가스나 석유가 불완전 연소할 때 소량 생기는 에틸렌은 식물 호르몬으로, 꽃의 개화를 촉진하거나 억제하며 바나나, 사과, 감, 배 등 과일의 성숙을 돕는 작용을 한다.

호르몬이란 말은 그리스어 'hormao'에 어원을 두고 있는데, 어떤 일을 일으키거나 어떤 물질을 움직이게 한다는 의미를 갖고 있다. 생물학에서는 세포에서 만들어지는 유기 생성물로, 체액을 따라 멀리 있는 세포로 옮겨가 다른 세포의 활성이나 활동에 독특한 영향을 끼치는 화학 물질을 의미한다. 그런데, 우리들은 동물계뿐만 아니라 식물계에도 호르몬이 있다는 이야기를 별로 듣지 못했다.

식물 호르몬의 화학 구조는 동물 호르몬과 아주 다르다. 동물계에서는 아미노산으로부터 유도된 고분자량 화합물인 폴리펩티드나 단백질 및 스테로이드가 대표적인 호르몬인데, 이들의 화학 구조는 에틸렌과는 거리가 멀다.

사과상자에 떫은 감을 함께 넣어두었다가 며칠 후에 보면 단감이 되어 있다. 사과 꼭지 반대쪽에서 나오는 에틸렌이 감에 호르몬 작용을 하며 떫은맛을 내는 가용성 타닌을 불용성 타닌으로 만들기 때문에 이런 변화가 생긴다. 뿐만 아니라 에틸렌은 카네이션이 꽃을 피우지 못하게 하고, 포도나 수박을 상하게 한다. 이상하게도 귤상자 속에는 상한 귤들이 서로 모여 있는데, 이것은 상처 난 귤이 에틸렌을 방출하여 옆에 있던 귤을 무르게 하기 때문이다. 멜론도 사과처럼 에틸렌을 방출한다고 알려져 있다.

이렇듯 에틸렌은 불가사의한 성질을 지니고 있는 신비한 식물 호르몬이다. 하지만 에틸렌의 구조는 매우 단순해서 탄소 두 개가 이중결합으로 이어져 있고, 각 탄소는 수소 두 개와 결합하고 있다.

이 화합물을 중합(길게 연결하여 고분자를 만듦)하면 폴리에틸렌이라는 플라스틱이 되는데, 이 합성 플라스틱은 온실의 비닐, 필름, 전깃줄 피복, 쇼핑백, 아기 우유병 등을 만드는 데 사용된다. 현재 인류가 사용하고 있는 합성수지 중 소비량이 가장 큰 것이 바로 폴리에틸렌이다. 그러나 폴리에틸렌은 에틸렌 기체와 같은 호르몬 작용을 전혀 하지 않는다.

플라스틱의 주원료로 사용되는 에틸렌 기체가 시퍼런 바나나의 성숙도를 조절하는 힘을 갖고 있다니, 화합물들이 보여주는 다양한 능력은 참으로 재미있고도 놀랍다.

모든 주방은
화학 실험실

화학이라는 과목이나 학문은 흔히 지지고 볶거나 끓이는 조리를 연상케 해서, 화학 반응을 행할 때 종종 cooking이라는 표현을 쓴다. 그도 그럴 것이 부엌에서 이루어지는 조리 과정을 살펴보면 화학 실험실에서 수행하는 실험 과정과 여러 면에서 유사하다.

분자 미식학(Molecular Gastronomy)이라는 단어가 우리에게는 생소하게 들릴지 모르겠으나 이 단어를 사용하기 시작한 지도 벌써 20년이 넘는다. 이 표현을 제안한 사람은 조리사가 아니고 놀랍게도 영국 옥스퍼드 대학의 교수로 저온물리 연구 분야에서 세계적으로 명성을 펼치고 있던 니컬러스 커티 교수였다. 커티 교수는 퇴직한 후 과학 지식을 부엌의 조리에 적용하는 재미에 푹 빠졌으며, 조리는 결국 분자나 분자들 사이에 일어나는 물리 화학적 변화를 컨트롤하는 과학의 일부라 생각해 1988년에 분자 미식학이라는 말을 처음 제안하였다. 뿐만 아니라 커티는 에르

3. 지연 속의 화학 드라마

베 티스와 2002년부터 분자 미식학 워크숍을 격년으로 개최하기 시작했으며, 이 워크숍에는 요리사, 과학자와 기자 등이 참여한다. 에르베 티스는 세계 최초의 분자 미식학 박사학위 소지자로 커티 교수가 사망한 후에도 계속 이 워크숍을 개최하고 있다. 또 한 가지 흥미 있는 이야기 거리는 티스가 프랑스 파리 대학의 장마리 렝(1987년 노벨화학상 수상) 교수 연구실에서 분자 미식학 그룹을 이끌고 있다는 섬이다.

이제부터는 분자 요리학을 우리 가까이로 끌어오자. 우선 우리 주식인 밥과 쌀 이야기로 시작하자. 흔히 우리는 멥쌀로 밥을 짓고 찹쌀로 찹쌀떡을 만든다. 그런가 하면 쌀알이 더 기다란 소위 양쌀로 밥을 지으면 서양인이나 중국 사람들과 달리 우리나라 사람이나 일본인들은 매우 싫어한다. 도대체 이들 쌀에는 무슨 차이가 있으며, 밥을 지을 때 어떤 변화가 일어날까? 쌀에는 녹말(탄수화물)이 주성분으로 들어 있다. 물에 쌀을 담그고 끓이면 물 분자가 탄수화물 분자사슬을 적셔(화학에서는 수화시킨다고 함) 탄수화물 분자사슬간의 거리를 증가시킨다. 따라서 탄수화물 분자사슬 사이의 거리가 증가하고 그 사이 공간을 물 분자가 차지한다. 이때 물 분자 수에 따라 밥이 되기도, 죽이 되기도 한다. 따라서 밥이 마르면 다시 본래 쌀처럼 단단해진다. 비록 쌀 모양을 100퍼센트 되찾기는 못하지만. 다시 말해 밥을 짓는다는 표현은 쌀 속의 녹말을 수화시키는 것에 불과하다.

그렇다면 왜그르르한 양쌀 밥, 지나치게 차진 찹쌀밥, 고슬고슬한 우리네 쌀밥의 차이는 어디서 찾을까? 흔히 녹말이라고 부르는 탄수화물에는 아밀로오스와 아밀로펙틴이라는 두 종류가 있다. 아밀로오스는 분자가 선형이라 결정화가 잘 일어나며, 아밀로펙틴은 가지 친 구조여서 결정화가 잘 일어나지 않고 가지들끼리 서로 엉킨 구조를 쉽게 만든다. 모든 쌀은 아밀로오스와 아밀로펙틴을 지니고 있으나 이 두 성분의 상대적 함량에 차이가 있다. 양쌀에는 아밀로오스가 많으며 찹쌀에는 아밀로펙틴이 주성분이다. 양쌀에는 찰기를 더해주는 아밀로펙틴의 함량이 적으므로 밥이 다시 단단해지기 쉽다. 반대로 찹쌀은 아밀로펙틴의 엉킨 구조가 수분을 효과적으로 잡고 있을 수 있어 찰기를 오래 유지한다. 즉 녹말의 구성 성분과 및 물 분자와 상호작용 및 결정화의 용이도 차이가 각각의 쌀을 다르게 행동하게 한다.

다음으로 또 다른 주식인 녹색 야채를 살펴보자. 우리는 항상 야채를 데친 후에도 녹색을 유지하며 신선함을 잃지 않기를 바란다. 흔히 추천하는 방법이 화학적으로 볼 때 왜 옳은지 살펴보자. '물을 많이 사용하고 소금을 조금 넣어라. 물이 가볍게 끓거든 뚜껑을 열고 야채를 데치되 끓는 물에 7분 이상 담가두지 말아라.' 그리 대단한 요령은 아니지만 매우 효과적인 방법을 지시하고 있다. 야채의 녹색은 엽록소 때문이며, 엽록소라는 화합물에는 마그네슘 이온이 결합하고 있다. 이 금속 이온이 빠져나오면 신선한 녹색이 사라지고 칙칙한 누런색으로 변한다. 이런 화학 반응은 야채 자체가 지니고 있는 산성 성분이 야기한다. 따라서 물을 많이 사용하면 채소에서 나온 산성분을 묽혀 반응을 감소시키며 소금을 넣으면 맛에 영향을 줄뿐 아니라 물의 끓는점을 높여 데치는 데 필요한 시간을 감소시킨다. 또 뚜껑을 열면 휘발성 산성분의 증발을 돕는다. 짧은 조리 시간은 반응 시간을 줄여준다. 이밖에도 가끔씩 소다를 넣고 데칠 것을 추천하기도 하는데, 산을 중화시켜 마그네슘 이온의 유출을 막아주어 신선한 녹색을 유지하게 해준다. 그러나 식소다(탄산수소나트륨 ; 중조)를 너무 많이 사용하면 알칼리성이 된 물이 야채 세포막을 파괴하여 야채가 흐늘흐늘해지므로 조심해야 한다.

화학 지식의 응용은 여기서 그치지 않는다. 1-옥텐-2-올이나 트랜스-2-메틸부텐산벤질을 조금 넣어주면 요리에 야생 버섯맛과 향을 돋아주고, 싸구려 위스키에 바닐라 소량을 넣으면 숙성된 고급 몰트위스키 맛을 낸다. 이에 덧붙여 유럽 일부 고급 레스토랑에서는 증류 장치, 믹서, 온도 조절 항온조 등이 주방에서 쓰이고 있으니 모든 주방이 화학 실험실같이 보일 날도 머지 않았나보다.

산소의
나이와 재고량

요즘처럼 도시의 공해가 심할 때 우연히 찾아간 우거진 숲에서 맑은 공기의 생명력에 감사해본 경험이 있을 것이다. 생명 유지를 위해서는 맑은 공기가 절대적으로 필요하다. 그런데 반하여 산소가 없는 공기는 우리 생명을 유지시켜주지 못한다.

현재 지구 표면의 대기 중에는 산소가 23.2퍼센트 포함되어 있고, 지구 전체 표면에는 약 10^{18}킬로그램이 있다. 실로 엄청난 양이다. 사람은 보통 하루에 약 200~550리터(약 300~800그램)의 산소를 필요로 한다. 그렇다면 산소는 어떻게 생겨났고, 대기 중의 산소는 몇 살이나 됐을까?

지구의 나이는 약 45억 살이라고 한다. 지구가 어렸을 때는 대기 조성이 지금과 매우 달랐으며, 주로 수소, 메탄, 암모니아와 수증기로 되어 있었다. 그 안에 산소와 질소 기체 등은 없었다. 지구의 산소는 약 32억 년 전쯤 광합성을 할 수 있는 엽록소를 지닌 원시적 식물이 탄생한 후 그 양

3. 자연 속의 화학 드라마

이 증가했다는 설과 지구 탄생 후 수증기가 우주선 등에 의해 분해되어 생겼다는 설이 있는데, 과학자들은 전자를 더 신빙성 있게 보고 있다.

그러나 32억 년 전만 해도 육지는 생명체가 살기에 적합하지 않았다. 공기 중에 산소가 없었기에 태양으로부터 오는 강력한 자외선을 흡수하여 생물을 보호해주는 오존층도 없었기 때문이다. 다행히 물은 자외선을 흡수할 수 있으므로, 우선 깊은 물속에서 광합성을 할 수 있는 엽록소를 지닌 생명체가 산소를 만들기 시작했을 것이다. 그러나 그 양이 매우 적어 그 후 약 10억 년간은 수중에서 생긴 산소가 모두 물속에 녹아버렸다.

그러다가 지금으로부터 약 22억 년 전쯤 해수에 산소가 포화되어 대기 중으로 방출되기에 이르렀다. 8억 년쯤 전만 해도 대기 중 산소는 지금의 1퍼센트 정도밖에 되지 않았다. 그러나 이미 이때부터 오존층이 생기기 시작했기 때문에 지구상에 식물들이 급격히 증가했고, 공기 중의 산소량도 빠른 속도로 증가하게 되었다. 식물의 푸른 잎은 엽록소를 지니고 있는데, 엽록소는 뿌리로부터 올라온 물과 공기 중의 이산화탄소와 태양 에너지를 합하여 탄소 동화 작용이라는 생체 화학 반응으로 탄수화물과 산소를 만드는 '산소 공장'이다.

큰 나무 한 그루가 대략 두 사람이 하루 호흡하는 데 필요한 양보다 좀더 많은 산소를 공급한다. 엽록소를 지닌 식물들이 매년 대기로 방출하는 산소의 총량은 대략 2000억 톤인데, 산소는 인간의 호흡뿐 아니라 연료의 연소 등 여러 가지 화학 반응에 참여하여 지구상 함량이 23퍼센트 정도에서 일정하게 유지되고 있다.

대기 중 산소 함량이 조금만 변해도 지구의 생태계에는 예측하기 힘든 변화가 일어나므로 부지런히 나무를 심어 산소 제조 공장이 줄어들지 않도록 노력해야 한다. 지금처럼 화석 연료 소비가 계속 증가한다면, 대기권의 산소는 앞으로 1만 년 정도밖에 사용할 수 없다고 하지 않는가.

토양은 식물들의
화학 원소 공장

양배추는 겹겹이 싸여 있는 잎과 땅 속 뿌리를 통해 양분을 섭취한다. 양배추 2킬로그램을 오븐에서 말리면 수분이 거의 다 날아가서 160그램 정도밖에 남지 않는데 이것은 주로 셀룰로오스다. 이 마른 양배추를 태우면 재가 대략 12그램 정도 생기고, 나머지는 또다시 탄산가스와 수증기로 날아가버린다. 남은 재는 원래 무게의 0.6퍼센트밖에 되지 않으나 여기에는 여러 원소가 들어 있다.

공기 중에 0.033퍼센트밖에 없는 탄산가스가 식물에게는 유일한 유기 탄소원이다. 식물의 탄산가스 섭취를 높여주기 위해 요즈음은 온실 안의 탄산가스 양을 0.1~0.15퍼센트로 늘려주기도 한다. 한편 식물은 공기 중에 78퍼센트나 들어 있는 질소를 직접 섭취하지 못한다. 콩과 식물의 뿌리혹박테리아가 질소를 암모늄 이온이나 질산 이온으로 변화(질소 고정)시키면 식물은 뿌리를 통해 이 질소 화합물을 흡수한다. 이런 방식으로 미생물이 고정하는 질소량은 황산암모늄으로 환산해 연 1000만 톤이 넘는다.

토양은 식물뿌리의 집일 뿐 아니라 성장에 필요한 화학 원소를 제공한다. 식물 세계에서 질소와 인, 칼륨, 칼슘, 마그네슘, 황은 주요 원소라고 하고, 망간과 붕소, 철, 구리, 아연, 몰리브덴, 나트륨, 염소, 코발트는 흔적 원소라고 부른다. 이들 각 원소가 수행하는 역할을 살펴보자.

인은 생명을 유지하기 위한 전 과정, 특히 에너지 사용 과정에 필수적이다. 우리나라 토양은 대체로 인 함량이 낮아 인산비료나 인광석 가루 등을 사용해야 한다. 뼈와 피, 기타 유기질 비료도 이 영양소를 제공하는데, 곡물이나 잔디를 키워서 자르면 1헥타르당 3~15킬로그램의 인이 없어진다.

칼륨은 수액 중 금속 이온 밸런스에 중요하며, 줄기가 자라고 식물 외부 세포 바깥벽을 두껍게 하는 데 필수적이다. 칼륨이 부족하면 식물 조직에 당분과 질산염이 축적되어 해충의 공격을 받거나 과잉된 질산염에 의해 생장을 방해받기도 쉬워진다. 칼륨은 운모와 점토에 들어 있으며, 칼륨 결핍은 주로 습한 해안지역에서 나타난다. 나뭇재, 해초 및 소변은 칼륨의 좋은 공급원인데 칼륨이 과다하면 마그네슘 결핍증에 걸리므로 주의해야 한다. 세포 분할과 세포벽에 필요한 칼슘 성분은 우리나라 토양에 충분하게 들어 있다. 그리고 마그네슘은 엽록체 생산에 필요하며 광합성에 필수적이다.

여러 가지 식물성 냄새나 향 성분 속에 들어 있는 황은 시스테인과 메

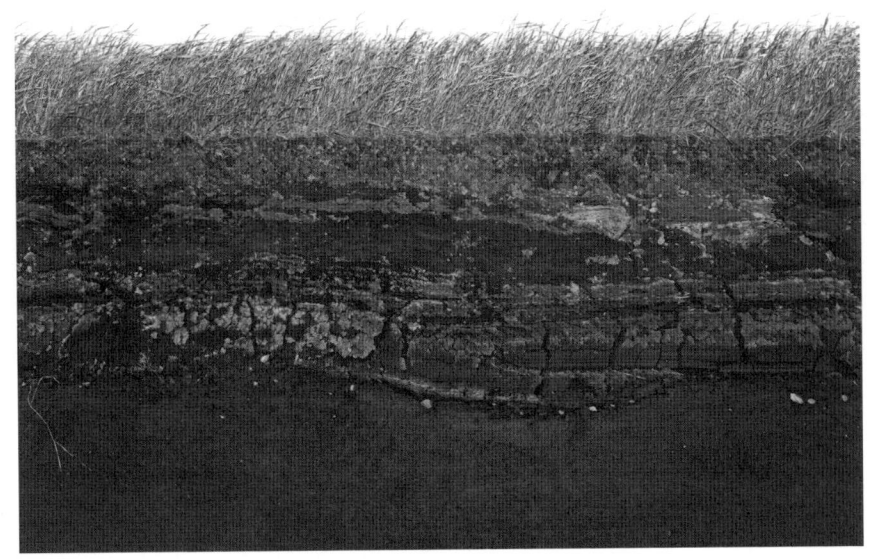

토양은 식물뿌리의 집일 뿐 아니라 성장에 필요한 화학 원소를 제공한다. © Jon Helgason | Dreamstime.com

티오닌(아미노산의 하나) 합성에 필수적이며, 따라서 식물성 단백질 합성에 꼭 필요하다. 마늘이나 양파의 독특한 냄새는 이들이 포함하고 있는 황화합물 때문이다.

이 밖에 소량 필요한 철은 엽록소를 지닌 식물의 광합성에 필수적이다. 철은 토양 속의 산화물이나 규산염으로 존재한다. 그러나 석회 등을 지나치게 뿌리거나 석회석이 많은 토양에서는 철분 흡수가 어려워져 엽록소 결핍에 의한 백화 및 황백화 현상이 나타난다. 망간도 식물 성장에 꼭 필요한데 그 역할은 아직 밝혀지지 않았다. 구리는 식물 세포의 정상적 기능에 필요한 효소 생산에 필수적인데 산성 모래흙, 주로 모래와 점토로 되어 있는 양토, 자갈흙에서 결핍 현상이 나타난다. 아연은 줄기와 잎이 성장하는 데 필요한 식물 호르몬인 옥신 생산에 관여하며, 붕소는 칼슘 흡수를 도와준다. 몰리브덴과 코발트는 질소 고정 박테리아가 필요로 하므로 콩과 식물에 특히 중요하다.

비료는 토양에 충분하지 않은 영양소를 식물에 공급하기 위해 사용하는데, 흔히 사용되는 질소비료는 요소, 황산암모늄, 질산암모늄 및 인산암모늄이다. 그중에서 황산암모늄은 질소 외에 황을, 인산암모늄은 질소 외에 인을 공급한다. 질산칼슘도 쓰이는데 이때는 질소 외에 칼슘을 공급받게 된다. 일반적으로 유기질을 받지 못하는 토양에는 1제곱미터당 질소 : 인 : 칼륨을 8 : 5 : 4의 비율로 100그램 정도 사용할 것을 권장한다.

그런데 화학 원소들이 결핍되면 어떤 증상들이 나타날까? 특히 화초를 열심히 키우는 사람들에게 커다란 관심거리다. 가장 오래된 잎이 먼저 노래지거나 위축되면 질소 결핍을 의미하며, 군데군데 노란 잎이 생기면서 잎 가장자리색이 유달리 짙어지면 마그네슘이 모자란다는 신호다. 잎 가장자리가 마르고 점이 나타나면서 점 주위 색깔이 엷어지면 칼륨이 충분치 못함을 뜻한다. 인이 모자랄 때는 잎이 노래지고 직립하는 현상을 보이며, 윤기를 잃고 청록색이나 자주색으로 변한다. 또한 몰리브덴이 부족하면 전체 잎이 얼룩덜룩해지면서 잎이 찻잔 모양으로 오목하게 오그라들고 줄기가 구부러지며, 콩과 식물에 코발트가 모자라면 질소 결핍증과 같은 현상이 관찰된다.

3. 자연 속의 화학 드라마

새잎이 유선형으로 끝이 구부러지거나 까매지거나 죽으면 칼슘 부족이고, 노래지거나 오그라들면 황이 모자란 것이다. 철 결핍이 심하면 처음 나오는 잎의 색이 거의 희고, 구리가 부족하면 어린잎의 색이 암청록색이 되며 끝이 죽는다. 아연이 부족하면 새잎이 너무 작고 노란색과 하얀색으로 얼룩이 지며, 붕소가 모자라면 새잎 가장자리가 노래지며 잎이 구겨지고 모양이 흉해진다.

화초를 기르다 잎의 색깔이나 모양이 이상해지면 흔히 병에 걸린 것은 아닐까 생각하는데, 대개는 영양분을 골고루 공급해주지 못한 탓이다. 요즘은 화초가 이상 증세를 보일 때마다 적절한 처방으로 영양분을 공급하여 정상화하도록 조그만 봉투에 여러 가지 영양소를 넣어 팔고 있으므로 화초를 건강하게 키우기도 훨씬 쉬워졌다. 물론 영양소의 적절한 공급 외에도 수분, 온도, 토양의 산성도, 토양 속의 미생물들이 모두 식물의 건강과 성장에 중요한 영향을 끼친다. 이렇듯 식물의 건강한 성장에는 여러 가지 요소가 관여한다. 그러니 인간의 건강한 성장과 삶에 필요한 요소는 얼마나 더 복잡할까.

방사선을 피할 수 없는
인간의 운명

정기적으로 받는 신체검사지만 왠지 X선 흉부 촬영시에는 마음이 편치 않다. 혹시 건강에 이상이 있지 않을까 하는 걱정에는 방사선에 대한 공포심이 크게 자리하고 있다. 자연 방사능이 붕괴할 때 나오는 α선과 β선, 그리고 γ선과 X선을 통틀어 이온화성 방사선이라 부르는데, 이들은 모두 생체 조직을 파괴할 수 있는 능력이 있어서 과다 노출에 대한 공포심을 증대시킨다.

과연 우리는 이들 방사선을 완전히 피할 수 있을까? 답은 그렇지 못하다는 것이다. 직업상 방사성 물질이나 X선을 다루지 않더라도 우리는 자연으로부터 나오는 방사선에 항상 노출되어 있다. 건축물의 벽돌, 발밑의 돌과 흙이 모두 천연 방사능을 포함하고 있을 뿐 아니라, 지구 내부로부터도 방사성 라돈 기체가 빠져나와 집안으로 들어오고 있다. 더구나 γ선보다 에너지가 더 큰 우주선이 계속적으로 지상의 모든 물질과 지표에 충돌하고 있다.

두꺼운 납으로 만든 진공통 속에 있어도 방사선을 완전히 피할 수는 없다. 우리 몸속에 있는 방사성 동위원소인 칼륨-40을 피할 수 없기 때문이다. 체중이 60킬로그램이라면 대략 200그램의 칼륨을 몸속에 지니는데, 그중 약 20밀리그램이 칼륨-40이다. 더구나 칼륨-40의 반감기는 12억 5000만 년이나 되니 인체는 가히 방사선 제조기라 할 만하다.

1990년 미국 국립연구위원회와 국립과학아카데미의 보고에 의하면, 사람들이 받는 방사선의 82퍼센트는 자연적인 원천(라돈 55퍼센트, 외계로부터 온 우주선 8퍼센트, 바위 및 흙 등 지구 자체 8퍼센트, 인체 내부 11퍼센트)에 의한 것이고, 나머지 18퍼센트는 인간들이 만든 추가적인 원천에 의한 것이다. 비록 1986년 4월의 체르노빌 원전사고가 우리 기억에 생생하지만 원자력 산업에 의한 방사선 노출은 매우 적다.

100여 년 전만 해도 추가적인 방사선에 대한 노출은 걱정할 필요가 없었다. 그러나 지금은 인공적 원천의 위험이 점차 증가하고 있다. 몇 년 전 일본에서 있었던 원자력 발전소의 방사능 유출 사건이 아직도 기억에 생생하다. 이에 덧붙여 흡연가들이 특히 알아야 할 것은, 담배에 들어 있는 방사성 동위원소 폴로늄-210이 이온화성 방사선을 방출하기 때문에 방사선에 의한 폐암 발병 가능성이 있다는 점이다. 그렇다 해도 코발트-60을 이용한 암 치료, 방사성 요오드가 든 요오드화나트륨에 의한 갑상선암 치료 등 의학적 이용과 방사선의 산업적 이용가치는 간과해서 안 될 일이다. 어차피 우리는 방사선과 공존해야 하므로 철저한 관리가 더욱 요구된다.

4

현대문명 속에
숨어 있는 화학

Chemistry

인체 속에서 녹아
흡수되는 유리

유리 식용유병, 유리 선글라스, 안전유리, 유리 비타민병, 실내 차광 유리판, 유리컵, 자동차 프런트 패널 유리판, 유리 주사기, 탁상덮개 유리, 유리 화장품병……. 이것은 우리 주위에서 점점 사라져가는 유리 제품들의 목록이다.

우리가 가장 많이 사용하고 있는 유리는 수정(석영) 성분인 실리카(산화규소: 모래의 주성분)를 탄산나트륨(소다회) 및 탄산칼슘(석회석)과 섞어 높은 온도로 가열해 만든다. 그러나 이 유리는 충격을 받으면 깨지기가 쉬울 뿐 아니라 열팽창성이 커서 조리 기구로도 사용하지 못한다. 용기 일부를 뜨겁게 가열하면 그 부분만 팽창해 열을 견디지 못하고 깨지기 때문이다.

실리카 유리에 무수붕산을 섞으면 붕소규산소다 유리가 된다. 이 유리는 여러 가지 복잡한 모양도 쉽게 만들 수 있을 뿐만 아니라 화학 약품에도 잘 견뎌 실험실용 유리 용기를 만드는 데 많이 사용하며, 흔히 파이렉스 유리라고 알려져 있다. 산화리튬, 산화알루미늄을 실리카와 섞어 만든 코닝유리(코닝식기)는 열팽창성이 매우 작아 열 충격에 잘 견디므로 가스불이나 전기히터에서도 사용할 수 있어 주부들에게 인기가 높다.

그런데 여성들이 좋아하는 크리스털 물잔과 포도주잔은 무엇으로 만들까? 크리스털 물잔의 찬란한 빛은 곱게 차린 파티상을 더욱 화려하게 보이게 하며, 건배할 때 드는 포도주잔의 맑은 금속성 소리는 운치를 더해준다. 크리스털 유리에는 보통 유리에는 없는 산화납이 많이 들어 있다. 또한 산화칼륨도 꽤 섞여 있어 빛의 굴절률이 크므로 빛을 강하게 산란시키는 특징이 있다.

우리는 이미 머리카락 굵기의 투명한 석영유리 한 가닥이 구리로 만든 전화선 1만 2000회선 몫을 하는 광섬유통신 시대에 살고 있다. 미국, 일본, 프랑스는 이에 만족하지 않고 플루오르(불소)가 들어 있는 플루오르 유리로 광섬유를 개발하고 있는데, 이 광섬유는 석영유리로 만든 것보다 적어도 100배 이상 빛을 전달할 수 있다니 특수 유리 제조기술의 발전에 그저 놀라울 뿐이다.

그런데 인체에서 녹는 유리는 더욱 믿기 어려운 일이다. 인과 칼슘, 나트륨 산화물을 1100도로 가열하면 인체에 녹아 들어가는 유리를 만들 수 있다. 영국 리버풀에 있는 열대의학연구소는 산화구리가 조금 들어 있는 이런 유리를 주혈흡충병(住血吸蟲病) 환자에게 먹여 병을 치료했다. 유리의 조성을 달리하면 인체뿐만 아니라 물이나 흙에 녹아 들어가는 속

우리는 이미 머리카락 굵기의 투명한 석영유리 한 가닥이 구리로 만든 전화선 1만 2000회선 몫을 하는 광섬유통신 시대에 살고 있다. © Dashark | Dreamstime.com

도를 조절할 수 있다. 살충제를 섞어 만들면 오랫동안 지속되는 농약으로 사용할 수 있으며, 구충제를 섞으면 사람과 가축의 지속성 구충 유리로 사용할 수 있다는 이야기다. 또 미량의 필수 영양소를 섞어 가축의 여물에 넣음으로써 영양 보충 유리로도 응용이 가능하다.

건축재료로 개발되고 있는 투명 유리로는 유리기와를 들 수 있다. 강도가 점토로 만든 기와에 버금가며, 햇빛이 잘 통과하므로 창문이나 지붕 위로 뻗쳐 있는 솔라하우스 장치를 유리기와 및 지붕 속에 설치할 수 있다. 앞으로 유리기와와 태양 전지를 합친 새로운 솔라하우스 장치가 개발되어 가정용 에너지 문제를 해결할 날도 멀지 않았다. 이처럼 유리는 우리 주위에서 점점 사라져가고 있다기보다는 새로운 모습으로 다시 태어나고 있다.

4. 현대문명 속에 숨어 있는 화학

범죄 현장에서 만나는 화학

요즘 범죄 수사에 과학적 방법의 이용은 필수적이다. 특히 화학 분석법이 매우 중요하기 때문에 '법화학' 교재가 출판되고 있을 정도다. 화학을 비교적 많이 공부한 나도 이런 책을 들춰보면, '아! 그렇구나!' 하고 감탄을 하게 된다. 화학 지식이 범죄 수사 현장에서 사용되는 예를 접하면서 화학의 광범위한 응용성에 다시 한 번 놀라게 된다.

지금처럼 DNA 분석이 용이하지 않았던 시절에 있었던 살인범죄 현장으로 여러분을 초대한다. 하와이 어느 섬에 살고 있던 카리(Kari)가 갑자기 사라졌다. 가끔 가출한 경력이 있는지라, 몇 주가 지나서야 가족들이 그녀의 가출을 경찰에 신고하였고, 그 후로부터 몇 주가 더 지났을 때 집 근처 사탕수수 밭에서 사람의 뼈대가 발견되었다. 검시관은 도무지 누구의 시체인지 알아낼 수가 없었다. 벌레들이 시체의 연조직을 다 없앤 후였기 때문이다. 군의 인류학 전문가들이 이 뼈대의 주인공은 코카서스

화학 지식이 범죄 수사 현장에서 사용되는 예를 접하면서
화학의 광범위한 응용성에 다시 한 번 놀라게 된다.

여인이고 나이는 45~48세이며, 허리에 깊은 상처를 입었다고 밝혔다. 또 희생자의 이빨이 카리의 치과기록과 일치했기 때문에 그 희생자는 카리라고 단정했다.

살해혐의자가 있었지만, 수사관은 범인을 확인하기 위해 카리가 살해된 정확한 시각을 알아내야만 했다. 하와이의 더운 날씨에서 시체는 약 18일이 지나면 뼈대만 남는다. 카리의 행방이 분명치 않게 된 지는 한 달여 전이었으므로, 뼈대만 남도록 부패된 지 대략 16여 일이 지났다는 결론을 내렸다. 물론 시체와 함께한 파리, 풍뎅이, 유충 등을 조사해야 했다. 곤충의 발생학이 이때 크게 도움을 준다. 어떤 종들이 사체를 좋아하는지, 얼마나 빨리 접근해 오는지, 생장이 기온 등에 어떻게 영향을 받는지 등의 치밀한 데이터에 의존한다. 분석은 법 곤충학자들의 몫이다. 사체에 있는 여러 유충을 수집해, 실험실로 가져와서는 조절된 환경에서 성충이 될 때까지 키워, 각각이 어떤 벌레의 유충이었는지 알아내는 것

4. 현대문명 속에 숨어 있는 화학

이다. 한편 유충의 가장 작은 것과 가장 큰 것간의 비교도 중요하다. 각 유충의 성장속도와 곤충 및 벌레들의 성장속도에 대한 지식으로부터 사체가 얼마나 되었는지 추론한다. 물론 알이 유충으로 되는 속도에 관한 지식도 함께 요구된다. 이 모든 것들이 온도, 습도 등에 의존하므로 기후에 대한 정확한 정보도 필수적이다. 이런 정보는 파리 및 다른 벌레들이 언제 사체에 접근했는지를 산출할 수 있게 해준다.

지금 이야기하고 있는 사례를 살펴보면, 호놀룰루의 한 대학의 리 호프 박사가 사체가 있던 곳에서 파리 두 종류, 투구벌레의 일종인 반날개 등 세 가지 곤충들을 찾아냈다. 첫째 파리는 흔히 부패 중인 사체가 15일쯤 되었을 때 찾아오며, 알이 부화하고 유충이 자라 파리가 되어 날아가는 데 21일이 걸리므로 카리가 사망한 지 36일은 지나지 않았다고 말해주었으나, 반날개는 보통 25일이 지나서야 사체에 다가오며, 사후 53일까지 사체에 머무르므로 사망 날짜가 25~36일 전인 것을 알게 되었다. 이 시간 차이는 너무 커서 수사에 별로 도움이 되지 않았다. 그러나 다행히도 다른 파리류는 사체가 20일 정도 부패했을 때 날아오며, 제일 큰 유충을 살펴보니 14일 정도 자란 것으로 유추되었다. 따라서, 이 정보들을 종합해 호프 박사는 사체가 발견되기 전 34~36일 사이에 살해되었다는 결론을 내렸다.

그러나 수사관들이 혐의자로 의심하던 코리라는 중년의 독신남자의 주장은 이와 달랐다. 코리는 32일 전에 카리와 어느 바에서 함께 자리를 한 후 집까지 바래다주었다고 주장했다. 이 날짜는 카리가 죽은 지 2일이나 지난 후였으므로, 수사관들을 코리집의 가택수색을 감행하였다. 지나치게 말끔히 청소가 된 집안을 수상히 여긴 수사관들은 카리의 혈흔을 찾기로 하였다.

이때 가장 흔히 사용하는 형광물질로 루미놀(luminol)이라는 화합물이 있다. 이 화합물을 과산화수소와 혼합하면 화학 반응이 일어나면서 형광이 나타난다. 보통 이 반응은 매우 느리지만 피 속의 헤모글로빈에 있는 철 성분이 촉매 작용을 하면 순식간에 형광이 관찰된다.

코리는 집을 철저히 청소해 혈흔을 모두 없앴다고 생각했으나, 화학수사를 이길 수는 없었다. 코리네 집 거실 바닥에 한 신체의 윤곽이 선명했고, 형광 자국은 문을 지나 코리의 자동차 트렁크에까지 선명하게 이어지고 있었다. 다시 말해, 자기 집에서 살해한 후 트렁크에 실어 사체가 발견된 장소로 옮겼다는 결론이었다.

그러나 코리의 주장은 우스꽝스러웠다. 자기 집에 있는 앵무새의 발톱을 너무 짧게 짤라 발가락에서 피가 났었고, 앵무새가 아파서 너무 광란을 했기 때문에 부득이 자동차 트렁크에 실어 동물병원으로 갔다고 고집을 부렸다. 안타깝게도 당시 남아 있는 혈흔은 너무 소량이었기 때문에 혈액형을 알 수 없었고, 지금처럼 극미량으로 DNA를 분석할 수도 없던 때였다. 현재의 화학 분석으로는 너무나 쉽게 알아낼 수 있지만. 그러나, 그 예전에도 범인들이 화학 수사망을 그리 쉽게 빠져나가지는 못했다. 코리집 방바닥에서 발견된 혈흔의 모습은 사람의 신체였지 앵무새가 아니었기 때문이다.

범죄가 날로 늘어나는 현대사회에 머지않아 '법화학'은 화학도와 수사관의 필수과목이 될 모양이다.

머리털과
손톱 분석의 수사화학

우리나라는 '옷이 날개'라며 남에게 잘 보이려면 옷차림을 제대로 갖추어 입기를 권하는 데 반해 서양은 'You are what you eat.'이라는 속담이 말해주듯 먹는 일을 더 중요시하는 모양이다. 범죄 수사에도 무엇을 어디서 먹었는지를 단서로 범인의 족적을 찾는다. 지방마다 영양생물 속에 들어 있는 ^{13}C, ^{15}N, ^{34}S 등의 동위원소 함량과 함량비가 다르기 때문에 어디서 범인이 오랫동안 숨어 있었는지 그 장소를 짐작케 한다. 그러나 이들의 함량 차이가 크지 않아 신뢰성 문제가 있어왔다. 그런데 최근에 미국 유타대 생물학과 제임스 에를링어 등은 머리털 중 ^{2}H 와 ^{18}O 동위원소 함량비의 신뢰성이 더 크다는 결과를 미국학술원 학술지(PNAS, 2008, 105, 2788-2793)에 발표하였다. 법의화학에 크게 기여할 내용이다. 이들은 미국 전역의 65개 지역(인구가 10만 이하인 도시와 마을)의 이발소에서 머리털과 그 고장 사람들이 마시는 수돗물을 함께 모아 동위원소비 질량

4. 현대문명 속에 숨어 있는 화학

분석기(isotope ratio mass spectrometer)로 분석하였다. 시료를 열분해시켜 얻은 기체 시료를 질량분석기에 주입하여 분석했다. 이 연구팀은 전에 코카인 같은 마약이 어디서 생산되었는지 알아낼 수 있는 방법을 개발하였다. 토양과 물에서 코카식물이 흡수한 동위원소의 비로부터 판단하는 방법이었다.

음용수 속의 동위원소는 인체에서 아미노산에 포힘되어 머리털 단백질의 구성 성분이 된다. 강우량, 강우빈도, 기온 등에 따라 이 동위원소비에 차이가 있어 ^1H 과 ^2H, ^{16}O 와 ^{18}O의 비를 구해 분포 지도를 만들면 머리털 주인의 행방에 관한 정보를 얻을 수 있다. 불행히 이 분석법으로 머리털 주인공이 어느 도시나 마을에 있었는지 족집게 식으로 알아낼 수 있을 정도의 신뢰도는 아직 갖지 못하지만, 훨씬 더 많은 시료분석을 행하면 정확도가 더 높아지리라 믿는다. 또한 에를링어 교수는 머리털 분석이 음식물 중독, 옛사람들이 먹던 음식물의 고고학적 연구 등에도 도움을 줄 수 있다고 확신하고 있다.

생화학적으로 중요한 의문점이 한 가지 있다. 아미노산과 단백질 합성 단계 및 그 후 ^2H와 ^{18}O이 여러 단계에서 계속 동위원소 교환반응에 참여한다는 점이다. 따라서 이 실험 결과는 동위원소 교환에 참여하지 않는 화학 구조 부분, 예컨대 C-H 결합 등의 분석에 의존할 수밖에 없다. 그러나 수돗물 음용수의 수소와 산소 동위원소비가 머리털 내의 수소, 산소 동위원소비와 훌륭한 상관관계를 보여준다. 동위원소 질량분석법이 수사화학 및 법의과학에 크게 기여할 것이 예상된다.

싱가포르의 이펜디 위자야 연구진은 손톱의 라만 스펙트럼으로 남녀 성 구분이 가능하다는 결과를 《Analyst》(2008, 133, 493-498)에 발표하였다. 이들은 남녀 각각 40명 씩으로부터 손톱을 공급받아 $400 \sim 1800 cm^{-1}$ 범위에서 라만 이동을 조사해 50개의 주요 피이크를 비교하였다. $25 \sim 50$ 세의 참가자들로부터 각자 손톱시료를 2개씩 공급하게 하였으며, 시료는 아세톤으로 세척한 후 사용하였다. 이 중 시스테인, 페닐알라닌과 티로신 등 아미노산과 관계되는 스펙트럼의 차이로부터 남녀 성을 구별할 수 있었다. 물론 남녀 간 스펙트럼 차이가 매우 근소하기 때문에 실험 데이터를 특수방법(SVM classification)으로 처리했다.

이유는 알 수 없으나 남성을 맞출 정확도는 87.5%였으며 여성의 경우는 좀더 높아 93.3% 였다. 현재로는 수사과학에서 남녀 구분은 DNA 분석에 의존한다. DNA 분석이 여기서 얘기한 라만 스펙트럼 분석보다 남녀구별 정확도가 높지만, 실험법이 까다롭고, 시간이 많이 걸리며, 비용이 많이 든다. 이에 비해 라만 스펙트럼에 의한 구별은 매우 간단하다.

머리털과 손톱 분석은 인종, 식생활, 환경 등과 상관관계를 분석함으로써 간편하게 고고학적 분석과 범죄 수사에 매우 중요한 정보를 얻을 수 있으므로 그 확산이 예상된다. 우리나라 법의화학에 분석화학자들의 공헌을 기대해본다.

기초 화장품,
피부에 필요한 수분

우리는 여러 가지 미(美)를 추구한다. 그중 가장 먼저 눈에 보이는 외관의 아름다움은 단연 으뜸가는 관심 대상이다. 화려한 화장품 광고에 나오는 유명 연예인이나 미녀들의 아름다운 피부는 뭇 여성들에게 선망의 대상이 됨은 물론 남성들의 눈길도 끌고 있다. '내 피부도 영원히 젊은 시절의 윤기와 탄력을 유지하는 방법이 없을까?' 이는 고금을 막론하고 끊임없이 제기되는 문제 중 하나다. 과학적으로 이 질문에 대한 답을 찾기 위해서는 먼저 피부의 구조와 기능에 대해 알아봐야 한다.

피부는 우리 몸을 보호하며, 신경 끝이 묻혀 있어 접촉, 통증, 뜨겁거나 차가움, 진동 등을 느끼는 감각기능을 갖고 있다. 그 밖에 체온의 조절과 유지, 비타민 D의 합성, 외부 물질의 흡수 및 체내 성분의 휘발 제어 기능도 담당하고 있다. 이외에도, 미적인 면에서 우리의 외모는 피부가 좌우한다 해도 과언이 아니다. 피부의 이처럼 다양한 기능은 피부의 복잡

피부에서 수분의 손실을 막는 역할을 하는 세라마이드 구조식

한 구조 때문에 가능하다.

이렇게 복잡한 피부를 관리하여 건강과 아름다움을 유지하고 노화를 방지하거나 노화 속도를 늦추기 위해 많은 여성이 화장품을 찾는다. 화장품은 보통 기초 화장품, 기능성 화장품과 색조 화장품으로 나뉜다. 다른 종류와는 달리 피부에 제일 먼저 바르는 기초 화장품은 피부를 청결하게 하고, 수분 공급 및 유지를 돕고, 또 피부에 필요한 유분과 영양분을 공급하는 역할을 한다. 이 때문에 기초 화장품이 가장 중요하다.

기초 화장은 세안에서 시작한다. 세안에서는 비누를 가장 많이 사용하는데, 드물게 중성비누도 있으나 대부분 알칼리성이다. 이 때문에, 비누로 세안하면 피부가 알칼리성으로 변한다. 자연 상태 피부의 pH는 대략 5.5로 약한 산성이다. 따라서 비누로 세안한 후에는 흔히 화장수라 부르는 기초 화장품을 사용해 피부의 약산성 상태를 회복한다.

우리 피부는 수분과 유분을 함께 지니고 있으며, 적당량의 기름 성분은 피부를 통한 수분 증발을 억제하는 순기능을 한다. 따라서 지나치게

4. 현대문명 속에 숨어 있는 화학

유분이 많아서 번들거리면 닦아내야겠지만, 모두 그럴 필요는 없다. 피부 표피에 있는 지질층도 유분과 함께 피부의 수분 손실을 막는 역할을 하고 있다. 이 지질층의 주성분은 세라마이드(ceramide)이다. 세라마이드의 화학 구조식을 보면, 친수성기와 친유성기를 함께 가지고 있어서 피부의 수분이 증발하는 것을 막아준다.

피부의 보습 작용이 중요한 이유는 이를 제대로 유지하지 못하면, 세포의 재생 능력이 저하되면서 탄력이 줄어들고 주름이 생기면서 피부가 노화되기 때문이다. 따라서 주변 대기가 건조한 경우, 건강한 피부를 유지하기 위해서는 각질층에 존재하는 천연보습인자(NMF: Natural Moisturizing Factor)가 가진 수분 보유 능력과 지질층의 수분 증발 억제 능력을 보완해주어야 한다. 그렇기에 모두 기초 화장품에는 보습 기능을 지닌 성분이 들어 있다.

피부의 보습 능력을 돕기 위해, 기초 화장품에 첨가되는 보습제는 두 가지로 구분한다. 하나는 NMF의 주성분인 아미노산 · 피롤리돈 카르복시산 · 락트산 · 요소와 유사한 성분들이고, 다른 하나는 수분을 잘 붙들고 있을 수 있는 추가적인 성분으로 글리세린(글리세롤)이 대표적이다. 히드록시(-OH)기 셋을 지닌 글리세린은 단맛을 지니며, 아마도 지금까지 우리가 발견한 가장 뛰어난 보습제로 알려졌다. 하이아루론산과 폴리에틸렌글리콜이라는 고분자도 흡수력이 뛰어나고 휘발성이 없어, 많이 사용한다.

보습제를 잘 사용한다고 해서 피부 건강이 쉽게 지켜지진 않는다. 피

결국 모든 기초 화장품은 피부가 수분-유분의 균형을 이루게 하는 데 주목적이 있으며, 효과적 흡습제와 수분 증발 방지제 및 피부 유연화제가 기초 화장품의 주요 성분이 된다. © Andrey Yakovlev | Dreamstime.com

부의 부드러움을 유지하려면 적당량의 지질이 수분과 균형을 이루고 있어야 한다. 앞에서 이미 각질층에 있는 세라마이드는 언급하였는데, 피부에는 세라마이드 외에도 지질 성분으로 콜레스테롤과 지방산이 있다. 우리는 기초 화장품에서도 콜레스테롤과 스테아르산, 팔미트산 등의 지질 성분을 쉽게 찾을 수 있다.

그 외에 탄소 수가 많은(보통 12개에서 16개) 알코올을 넣어주는 때도 있다. 이들은 물에 녹지 않는 성분으로 피부를 덮어 수분 증발을 막고 각질을 부드럽게 해준다. 이 밖에도 식물에서 추출한 식물성 기름도 많이 쓰인다. 식물성 기름 중에는 부드러움을 주는 아몬드유(Almond Oil)를 가

4. 현대문명 속에 숨어 있는 화학

장 높게 평가하며, 보습 작용과 함께 피부 보호 기능이 있는 올리브유나 노화 방지 성분이 있는 야자유도 쓰인다. 천연 기름 외에도 디메티콘이라는 합성 실리콘 오일은 특히 피부를 부드럽게 해주는 능력이 있어, 기초 화장품에 종종 쓰인다.

결국 모든 기초 화장품은 피부가 수분-유분의 균형을 이루게 하는 데 주목적이 있으며, 효과적 흡습제와 수분 증발 방지제 및 피부 유연화제가 기초 화장품의 주요 성분이 된다. 랑콤 화장품의 연구소장인 베로니크 델비뉴 박사가 "화장품 업계의 최대 화두는 '과학'과 '친환경' 입니다."라고 최근에 주장했듯이, 미래 화장품 개발에는 과학적 연구가 더 중요한 몫을 차지할 것이 분명하다.

"하루에 싱싱한 야채와 과일을 다섯 접시만 먹으면, 피부 노화 방지를 위해 아무것도 더할 필요가 없다."라고 주장하는 어느 피부과학자의 말은 피부세포의 활성화에는 올바른 영양이 무엇보다 중요하며, 화장품에만 의존하지 말라는 의미 있는 경고라고 생각한다. 화장품을 통해서는 매우 제한적인 영양분을 공급할 뿐이니 올바른 식생활로 피부세포의 건강과 세포분열을 왕성하게 유지하는 지혜가 결국 피부의 젊음을 유지하고 노화를 늦추는 왕도임을 강조하고 싶다.

일상생활에 응용되는
우주과학기술

미국 NASA와 다른 나라의 연구기관들이 우주 연구에 퍼붓는 액수는 상상을 초월한다. 애초 우주에 대한 연구는 우주가 어떻게 구성되고, 운동하는지 등을 알아내려는 목적으로 시작되었겠지만, 현재는 정보통신 및 군사적 이용에 눈독을 들이고 있다. 어쨌거나 우주 연구는 인류에게 많은 혜택을 주고 있는데 우주 연구에서 얻은 아이디어와 정보가 의학과 공학 및 기초과학 분야에서 널리 적용되고 있다.

알래스카에서 미국 본토까지 1200킬로미터가 넘는 송유관을 북극의 추위로부터 보호하기 위해 사용하고 있는 보온 전열 재료, 병을 옮기는 병원균이 인체에 침입했는지를 짧은 시간에 알아내는 오토 마이크로빅(auto microbic) 시스템, 공공건물에 설치해놓은 연기 감지기(smoke detector), 니켈과 티타늄 합금선인 치열 교정용 강선 등이 그 대표적인 예다. 이 기술이나 재료들은 모두 우주비행사 보호와 우주선 제조를 위해 개발되었으나 지금은 일상생활에 이용되고 있다. 이 가운데 연기 감지기는 우주선 화재시 연기 감지를 위해 개발된 매우 민감한 장치다. 현재 시중에서 구할 수 있는 여러 가지 연기 감지기는 배터리나 옥내 전기를 이용하도록 고안되어 있는데, 화재가 나서 연기를 감지하는 즉시 귀를 찌를 듯한 경고음을 울린다.

연기 감지기는 이온화 감지기와 광전 감지기로 나뉘는데, 이온화 감지기에는 보통 아메리슘-241이라는 방사성 동위원소가 조금 들어 있다. 이 방사성 동위원소가 내보낸 입자가 감지기 속에 있는 공기 입자와 충돌하여 계속해서 이온화된 입자를 만든다. 이렇게 만들어진 이온화된 공기 입자는, 감지기 속에 있는 이온화 입자 포집전극으로 계속 끌려가 1마이크로암페어(100만 분의 1암페어) 정도의 약한 전류가 흐르게 된다.

그런데 이 속에 연기가 들어가면 어떤 변화가 일어날까? 크기가 0.01~1마이크로미터(1만 분의 1센티미터) 정도 되는 연기 입자가 감지기 속으로 들어가 이온화된 공기 입자와 합치면 무거운 입자를 만들게 된다. 이 커다란 입자는 느리게 움직이기 때문에 이온화 입자 포집전극에 적은 숫자가 도달하여 감지기에 흐르던 전류가 줄어든다. 그러면 이 변화를 경보음으로 알려준다.

광전 감지기는 전혀 다른 원리로 작동된다. 광전 감지기에는 광전지가 들어 있는데, 광전지는 빛이 닿으면 빛에너지를 전기 에너지로 바꾼다. 연기 광전 감지기는 감지기 속으로 들어가는 빛과 광전지가 서로 부딪치지 않게 하여 평상시에는 전기가 거의 흐르지 않게 한다. 그러나 지름이

우주 연구에서 얻은 아이디어와 정보가 의학과 공학 및 기초과학 분야에서 널리 적용되고 있다. 연기 감지기도 그중 하나이다. © Fernando Gregory | Dreamstime.com

0.5~1000마이크로미터 정도 되는 연기 입자가 들어가면, 빛이 이들 입자에 부딪혀 모든 방향으로 산란하며 그중 일부가 광전지를 때리게 된다. 그러면 갑자기 전류가 많이 흐르게 되고, 전류 흐름이 증가하면 즉시 경보음이 울린다. 화재 경보기 중에는 화재로 인해 뜨거워진 공기를 감지하도록 고안된 것도 있다.

종종 화재 경보기나 연기 감지기가 작동하지 않았다는 이야기를 들을 때가 있다. 그것은 대부분 설치한 지 너무 오래되어 먼지나 그을음 때문에 민감도를 잃어버렸거나 전극이 상해 제 구실을 못했기 때문이다. 요즈음은 단순히 경보만 울리지 않고, 천장에 달아놓은 샤워 장치를 작동시켜 물을 뿌리는 복합 장치를 설치함으로써 화재로부터 더 효과적으로 인명과 재산을 보호하기도 한다. 최근에 개발된 감지기의 감도는 너무나 민감해서 문을 닫은 채 담배를 피우다가 경보음이 울리고 물세례까지 받는 웃지 못할 일도 생긴다.

우주 개발 연구의 부산물이 치열 교정 강선으로 사용되고 있는 예도 살펴보자. 요즈음 대학생, 특히 여학생의 치열이 전에 비해 매우 고른 것이 눈에 띄는데, 어렸을 때 치열을 교정하는 일이 이제는 예사가 되었기 때문이다. 여성뿐만 아니라 남성들도 치열을 교정해 멋진 얼굴을 만든다.

예전에는 치열 교정선으로 스테인리스 강선을 사용했다. 그러나 스테인리스 강선을 구부리면 교정하고자 하는 치아에 지속적으로 충분한 압력을 줄 수 없어 자주 조정해줘야 하는 불편이 있었다. 이러한 단점을 보완한 강선이 니켈과 티타늄 합금으로 만든 니티놀이라는 합금선이다. 이 합금선은 미해군 연구소에서 개발한 것으로 100여 번을 구부려도 치아를 꽉 조일 수 있는 능력이 있다. 이쯤 되면 우주 연구가 일상생활에 어떤 도움을 주는지 짐작하고도 남겠다. 이렇듯 과학기술 연구는 원래의 목적 외에도 일상생활에 중요하게 응용되고 있다.

녹슬지 않는 금속

학교에서 배운 과학 지식이 잘못되어 보이는 경우는 허다하다. 그중 하나가 알루미늄 창틀이다. 알루미늄은 매우 가벼운 금속으로, 물보다는 약 세 배 무겁지만 철의 무게에 비하면 3분의 1밖에 되지 않는다.

이상한 점이 하나 있다. 알루미늄은 화학 반응성이 매우 강하며, 알루미늄 가루는 공기 중의 산소와 격렬히 반응하여 폭발한다고 배웠다. 어찌나 화학 반응성이 강한지 질소 기체 안에서도 연소하는 드문 금속 가운데 하나라고 알고 있지 않은가? 그런데 어떻게 사람들은 알루미늄으로 창틀을 만들어 사용하면서 녹슬지 않는다고 할까? 더구나 비행기 몸체를 만드는 데에 알루미늄이 90퍼센트 이상 들어 있는 합금을 사용한다니 더욱 믿기 어렵다.

학교에서 배운 대로 알루미늄과 산소의 반응으로 생기는 반응열을 계산하면, 비행기가 목적 고도에 이르기도 전에 산화 반응열 때문에 녹아

4. 현대문명 속에 숨어 있는 화학

버려야 하는데 그런 일은 전혀 일어나지 않는다. 참으로 이상할 뿐 아니라 신기하기조차 하다. 그뿐 아니라 알루미늄 자전거 바퀴와 자동차 바퀴가 아무 일 없이 신나게 달리고 있지 않은가. 또 공기 중에서 폭발하는 창틀을 본 적도 없다. 왜 그럴까?

우리가 학교에서 배운 대로 알루미늄은 반응성이 매우 크다. 그렇기 때문에 마음 놓고 알루미늄 재료를 사용할 수 있다. 알루미늄은 공기에 노출되면 곧바로 표면에 매우 단단하고 투명한 산화알루미늄 층을 만든다. 이 보호막 층은 아주 조밀해서 공기와 물이 쉽게 스며들지 못하기 때문에 속에 있는 알루미늄 금속의 산화를 계속 막아준다. 이런 변화로 인해 오래된 알루미늄 창틀 표면은 새것일 때보다 덜 매끈하고 거칠어 보인다. 따라서 알루미늄 창틀이 녹슬지 않는다는 것은 화학적으로 틀린 말이며, 단지 녹이 투명하여 잘 보이지 않을 따름이다.

이와 대조적으로 두 가지 다른 금속의 녹을 비교해보면 재미있다. 알루미늄처럼 표면에 생긴 산화물 피막이 내부를 보호해주는 금속으로 구리가 있다. 검붉은 구리는 알루미늄처럼 공기 중의 산소와 빨리 반응하지는 않으나 서서히 산화하여 검은색의 산화구리로 변한다. 이 산화구리 보호막도 무척 조밀해서 내부에 있는 구리를 철저히 보호해준다. 오래된 서양 건물의 돔을 보면 대부분 검은 금속으로 덮여 있는데, 바로 산화구리 표층으로 그 안에서 구리가 보호를 받고 있다. 요즘 우리나라에서 구리로 만든 온돌 파이프가 많이 사용되는 것도 이 때문이다.

알루미늄이나 구리에 비해 철은 부착성 부식막을 만들지 못한다. 철제 표면에 생기는 산화철 막은 엉성해서 공기 중의 산소와 수분의 침투를 막지 못할 뿐 아니라 표면에서 쉽게 떨어져 나온다. 결국 현재 세계 철 생산량의 약 20퍼센트에 해당하는 철제품이 매년 녹이 슬어 사용하지 못하게 됨에 따라 철의 부식을 방지하는 기술 개발이 아직도 세계적인 과제로 남아 있다.

4. 현대문명 속에 숨어 있는 화학

오염수 정화에서
암치료까지 하는 초음파

안경점에서 안경을 세척하는 기구가 초음파 세척기다. 얼핏 생각하면 초음파의 속도로 흔들어주기 때문에 세척이 잘 된다고 생각하기 쉬운데 사실 초음파는 그 이상의 능력을 지니고 있다.

1996년 방영된 미국 20세기 폭스사의 스릴러물 〈체인 리액션(Chain Reaction[연쇄 반응])〉은 초음파의 과학적 가능성을 암시하는 재미있는 영화였다. 이 영화는 노벨상 수상자와 대학원생이 물에 초음파를 통과시켜 수소기체(가장 깨끗한 연료로서 태우면 물이 된다)를 무한정 얻게 되고, 그 후 연쇄살인과 하이테크 스파이에 연루되는 내용으로 스릴 만점이었다. 실제로는 초음파로 물을 분해시켜 수소기체를 얻는 것이 쉽지 않지만, 화학자들은 이제 초음파를 이용한 고에너지 화학을 저렴한 공업용 촉매 제조, 오염된 물의 정화, 암세포 파괴 등에 사용하고 있다.

도대체 초음파는 어떤 일을 할까? 초음파가 액체에 부딪히면 미세한 구멍 또는 기포가 생기는데, 더 이상 초음파 에너지를 흡수할 수 없게 되면 결국 기포가 터지게 된다. 그런데 이 기포 속의 기체나 증기를 급속히 압축(음파는 팽창과 압축 사이클을 반복한다)하면 기포 내부온도는 급속히 상승하고, 기포 내부압력 또한 급속히 증가한다.

미국 일리노이대학 화학과 연구진에 의하면, 기포 표면의 온도가 5000도를 넘고 기포 내 압력이 1000기압을 넘는다니 놀랄 만한 수치다. 5000도는 태양의 표면온도와 같고, 1000기압은 마리아나 해구(Mariana Trench: 서태평양 한가운데 위치한 수심 1만 1000미터 깊이의 바다) 바닥에서 느끼는 압력과 같다. 그러나 기포들이 매우 작고, 기포가 터진 후 냉각 속도가 1초에 100억 도가 되기 때문에 액체의 온도에는 전혀 변화가 없다. 이는 시뻘겋게 달구어진 강철을 찬물에 담글 때 1초당 수천 도의 속도로 냉각되는 속도와는 비교가 안 되는 초급속 냉각에 속한다. 이렇게 높은 온도와 압력, 그리고 초급속 냉각 환경은 다른 방법으로는 도저히 만들 수가 없다는 이유로 초음파에 의한 미세 기포 형성을 이용하려는 시도가 급속히 증가하고 있다. 드디어 초음파 화학(sonochemistry)이라는 새로운 분야가 세계의 이목을 끌고 있다.

그러면 초음파는 어디에 이용할 수 있을까? 첫번째로 초음파 심장진단도에 신뢰를 더해주는 기술이다. 초음파로 적혈구보다 작게 공기가 채워진 단백질 공을 만들어 혈관에 주사하면, 이들 마이크로 구가 초음파 심장진단도의 해상도를 증가시켜 심장 전문의들의 판독 정확성을 높여준다. 또한 물에 녹지 않는 택솔(Taxol: 여성 유방암 치료약)을 이 단백질 마이크로 구 속에 채워 주사하는 방법도 연구되고 있다.

초음파를 이용해 신장결석을 파쇄하는 치료법은 이제 상식이 되었을 정도이고, 초음파 치료 증감제라는 말도 들리기 시작한다. 암 치료를 위해 포르피린(빛을 받으면 항암력을 띠게 된다) 같은 항암제나 보조약제를 복용하고 동시에 초음파를 쪼여주면 이 화합물의 효능이 훨씬 증가된다는 보고가 있다. 즉 초음파가 초음파 승감제를 자유 라디칼로 분해시키고, 이들이 주위의 산소와 반응해 과산화 라디칼을 만든다. 이 과산화 라디칼이 이웃의 종양 세포막을 공격해 암세포를 파괴한다는 것인데 꽤 설득력이 있는 주장이다. 초음파는 조직 깊숙이 침투할 수 있을 뿐 아니라 원하는 부위에만 정확히 쪼여줄 수 있기 때문에 정상세포에는 영향을 주지 않는 추가적 장점이 있다.

여러 화학 반응의 촉매로 사용되는 니켈을 초음파로 처리하면 그 기능이 10만 배나 활성화된다. 초음파가 발생시킨 충격파가 니켈 입자들 간의 심한 충격을 유발해 표면을 덮고 있던 산화물 표피를 제거해주기 때문이다.

아직 실용화되지는 않았지만 오염수의 정화에도 초음파의 활약이 예상된다. 캘리포니아 공과대학 호프만 박사는 20여 년 동안 오염수에 대한 초음파 처리를 연구하고 있다. 사실 이 아이디어는 그의 지도를 받던 학생이 제시한 것으로, 물에 초음파를 통과시키면 기포의 폭발 시 산화 반응성이 매우 큰 히드록시 라디칼이 생긴다는 점에서 착안하였다. 물속에 들어 있는 오염물이 초음파에 의해 생긴 미세 기포의 높은 온도 때문에 열분해 할 뿐 아니라, 이때 생긴 반응성이 큰 라디칼들의 산소화 반응을 거쳐 오염물이 파괴된다. 실제로 발암성인 클로로페놀류가 파괴된다는 연구 결과가 발표되어 이 분야의 연구와 실용화에 불을 댕기고 있다.

초음파는 또한 화학 반응을 유발시키는 수단으로도 사용할 수 있다. 분자량이 과다하게 큰 고분자에 초음파를 쪼여주면, 결합이 끊어져 분자량이 낮아지기 때문에 원하는 분자량을 지닌 고분자를 만들 수 있다. 또 이때 결합이 끊어진 고분자 말단이 반응성을 지니기 때문에 A고분자와 B고분자 혼합물을 초음파로 처리해 A블록과 B블록이 결합하고 있는 블록 공중합체의 합성도 가능하다.

오염수 정화와 연관하여 환경 오염의 주범 노릇을 하고 있는 비분해성 플라스틱 제품을 초음파로 분해함으로써 땔감으로 쓸 수 있게 하는 연료화 공정이나, 화학 원료로 사용할 수 있는 원료화 공정에도 사용할 수 있지 않을까 하는 생각을 해본다. 우리 청각이 감지하지 못하는 초음파에 관한 화학적 연구는 아직도 초기 단계이지만, 다른 방법으로는 불가능한 환경을 얻을 수 있기 때문에 노력의 깊이가 더해지고 있다.

4. 현대문명 속에 숨어 있는 화학

비는 막아주고 땀은 배출하는 방수 스프레이

초등학교 시절에 입었던 비옷은 그리 유쾌한 추억거리가 되지 못한다. 무척이나 무거웠던 당시의 비옷은 비는 그런대로 잘 막아주었지만 옷 속이 점점 더워져 온몸을 땀으로 범벅이 되게 하곤 했다. 게다가 여름 더위에 잘못 보관했다가는 여기저기 들러붙어 다시 사용하기 어렵게 되어버리곤 했다. 그런데 요즈음은 비옷의 종류가 무척 다양하다. 보통 코트 같은데도 비가 새지 않는 멋쟁이 비옷, 비가 그치면 간단히 접어 주머니에 넣고 다닐 수 있는 비옷, 세탁소에서 방수 스프레이를 뿌려주는 코트인지 비옷인지 혼동되는 겉옷, 이들과 함께 필수적인 스포츠웨어가 된 지 오래인 방수복도 있다.

그런데 직물의 방수에는 어떤 화학과 화합물이 쓰일까? 세탁소에서 스프레이 처리를 해주는 물질은 무엇이기에 그렇게 방수가 잘 될까? 방수라는 말과 함께 발수라는 표현도 쓰이는데 이 두 가지 표현에는 어떤 차이가 있을까?

예전에는 천연 섬유(면, 마, 비단, 양모 등)로 직물을 만들어 사용했으며, 직물에 천연 지방, 기름, 왁스, 피치 및 아스팔트 등을 발라 물이 통과하지 못하게 하였다. 이런 천은 물은 물론 공기도 통과시키지 않았다. 그 후 가황 천연 고무가 가장 중요한 방수 재료로 사용되다가 점차 재료가 더 다양해졌는데, 빗물에 젖지 않을 뿐 아니라 빗물이 통과하지 않도록 아예 수지 필름을 직물 표면에 덮어 씌우는 형태를 만들었다. 이렇게 만든 방수복은 공기가 들락거릴 수 없었으므로 땀 흘릴 때 피부에서 생기는 수증기도 밖으로 나

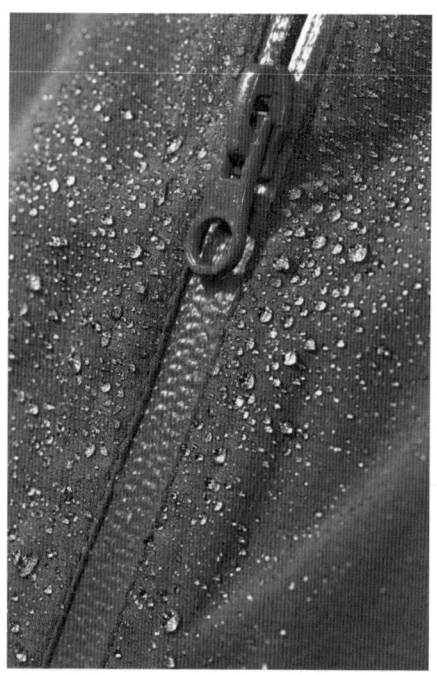

직물의 방수에는 어떤 화학과 화합물이 쓰일까? 세탁소에서 스프레이 처리를 해주는 물질은 무엇이기에 그렇게 방수가 잘 될까? © Horia Vlad Bogdan | Dreamstime.com

갈 수가 없어 매우 텁텁하고 불편하게 느낄 수밖에 없었다. 즉 외부의 비를 잘 막아준 동시에 땀의 증발도 차단했다.

그러나 1950년대부터 사용된 기술이 이 어려움을 해결해주었다. 직물이 바깥에서 묻는 물이나 비는 반발하여 투과시키지 않고, 공기나 수증기는 통과시키는 발수 기능을 갖도록 한 것이다. 즉 직물 표면 전체에 방

4. 현대문명 속에 숨어 있는 화학

수 재료를 발라 필름 형태로 코팅하지 않고 아주 작은 구멍은 남아 있게 발수제를 뿌려주었다. 그 결과 물방울은 커서 통과하지 못하지만 공기 내 수증기는 통과시켜서 입고 다닐 때 훨씬 편하게 되었다.

여기에 사용하는 발수제로는 무엇이 있을까? 크게 두 가지다. 하나는 실리코운(종종 실리콘이라 잘못 쓰는데 실리콘은 규소를 말한다) 수지이고, 현재 가장 많이 사용하는 새료인 플루오르(불소) 화학 약품과 불소 수시이다. 실리코운 수지와 불소 수지에 물방울을 떨어뜨려보면, 퍼지면서 표면을 적시지 못하고 물방울 모양 그대로 있다. 주위에서 쉽게 구할 수 있는 실리코운 고무나 테플론 테이프에 물방울 실험을 해보면 이 점을 쉽사리 확인할 수 있다. 불소계 발수제는 1950년대에 미국의 3M사가 처음으로 개발해 스카치가드라는 상품명으로 시중에 팔기 시작하면서 큰 인기를 얻었고, 그 후 미국의 뒤퐁, 영국 ICI, 일본 아사히 등도 뒤따라 유사 제품을 시판하기 시작했다.

이들 제품은 불소로 치환된 긴 알킬기를 지니는 화합물이나 고분 자제품이라는 공통점이 있다. 보통 에멀션 또는 용매에 녹인 용액 형태로 스프레이용, 거품 처리용, 표면에 바르는 제품 등 다양한 모양으로 시판되고 있는데 대부분 수입품이다. 이 제품들은 단순히 비옷뿐만 아니라 카펫, 커튼, 텐트, 스포츠웨어, 우산 장식물 등의 방수 처리에도 폭넓게 사용된다. 더욱이 불소계 방수제는 물뿐만 아니라 기름도 묻지 않아 방수와 더불어 때가 끼지 않게 하는 효과도 있다.

우리나라에서는 폴리우레탄으로 코팅한 방수복이 눈에 띈다. 우리나라가 아직 방수 섬유를 개발하지 못한 원인은 아마도 기술적인 면보다 경제성에 문제가 있기 때문으로 보인다. 방수 신사복과 방수 모자를 쓰고 장대비 속을 젖지 않고 걸으며 빗소리를 즐길 수 있는 날을 기대해 본다.

자동차 배터리는
왜 겨울만 되면 고장이 날까

자가용 같은 애물단지도 드물다. 새로 살 때부터 여기저기 말썽이다가 한두 살 나이 들수록 타이어가 펑크 나고, 팬벨트는 느슨해져서 새로 갈아야 한다. 또 윈드실드 와이퍼는 빡빡 소리 내면서 자동차 앞 창유리에 길게 상처를 내고, 엔진 오일은 언제 샜는지 계기판에 빨간 불이 들어오고, 어찌된 일인지 브레이크가 푹 꺼져 들어가 제대로 차를 세우지도 못한다.

뭐니 뭐니 해도 가장 당황스러운 일은 추운 겨울 아침에 자주 벌어진다. 평소에도 자동차 컨디션에 자신이 없는데, 추운 아침 서둘러 시동을 걸려고 하면 끽끽대기만 하고 자동차 발동이 걸리지 않아 불길한 생각에 가슴이 섬뜩해진다. 그러다 봄이 오고 날씨가 풀리면 언제 그랬느냐는 듯이 멀쩡하게 시동이 잘 걸려 겨울날의 걱정스러웠던 경험을 말끔히 잊게 한다. 도대체 겨울에는 왜 자동차 시동이 잘 걸리지 않을까? 가솔린이

엔진으로 잘 흘러들어가지 않기 때문일까? 아니면 추운 겨울에는 배터리가 역할을 잘 못하기 때문일까? 정답은 전자보다는 후자에 가까운데 그 이유는 또 무엇일까?

배터리는 화학 반응을 통해 전기(전자의 흐름)를 만든다. 그런데 화학 반응은 온도가 높을수록 빨리 일어나고, 반대로 온도가 낮아지면 느려진다. 따라서 배터리를 차갑게 하여 온도를 낮추면 1초에 내보낼 수 있는 전자 개수 E, 즉 전류량이 줄어든다. 플래시 타이트의 배터리도 마찬가지다. 날씨가 추워진다고 배터리가 전자를 내보내는 힘(볼트수 또는 전압)이 약해지지는 않는다. 다만 필요할 때마다 전자를 힘 있게 흐르도록 하는 힘이 약해지는 것이다.

또 하나 이상한 일은 자동차를 오랫동안 사용하지 않고 세워두면 배터리가 멎는 현상이다. 배터리를 사용하지 않으면 화학 반응을 시키지 않으므로, 그대로 살아 있어야 하지 않을까? 이론적으로는 그렇다. 그러나 배터리는 사용하지 않아도 전기를 조금씩 누전하여, 오랫동안 그냥 두면 전기를 만드는 배터리 속의 화학 약품이 소진해버리면서 결국 배터리가 죽는다. 물론 현재 사용되는 자동차 배터리는 예전에 비해 이런 문제가 훨씬 적다.

자동차 배터리에는 황산이 들어 있는데, 배터리가 전류를 흐르게 하는 동안 이온이라고 부르는 화학종들이 황산 속을 헤엄쳐 음극과 양극 사이를 오가야 한다. 그런데 기온이 떨어지면 이 황산의 점도가 높아진다. 따라서 이온들의 이동 속도가 느려지며, 결과적으로 배터리가 전류를 공급하는 능력이 줄어든다. 이러한 까닭에 추운 겨울 바깥 길가에 밤새 세워둔 자동차보다 차고 속에 잠재운 자동차의 시동이 쉬울 수밖에 없다.

그런데 왜 플래시 배터리는 냉장고에 두면 수명이 더 길다고 할까? 이미 언급했듯이 배터리는 사용하지 않아도 조금이나마 누전 현상을 보이며, 이로 인해 배터리 약이 다 떨어지게 된다. 그러나 배터리를 냉장고에 보관하

배터리는 화학 반응을 통해 전기(전자의 흐름)를 만든다. 그런데 화학 반응은 온도가 높을수록 빨리 일어나고, 반대로 온도가 낮아지면 느려진다. © Zestmarina | Dreamstime.com

면 이 누전되는 화학 반응을 느리게 하므로 전력을 더 오랫동안 저장할 수 있다. 하긴 요새 사용하는 소위 알칼리 배터리는 수명이 하도 길어 냉장고에 두거나, 그렇지 않거나 별로 차이를 느끼지 못한다. 온도에 구애받지 않고 자유자재로 화학 반응 속도를 조절할 수 있다면, 인류는 지금보다 에너지 문제를 훨씬 덜 걱정해도 된다. 그러기에 지금도 화학 반응 속도론이라는 분야가 화학에서 가장 중요시되고 있는 까닭이다.

총알도 뚫지 못하는 합성 섬유

1975년 연말 미국 시애틀에서 순찰중이던 한 경찰이 1미터 정도 떨어진 곳에서 강도에게 권총을 맞았다. 그러나 놀랍게도 그 경찰은 쓰러지지 않았고 피를 흘리지도 않았다. 그는 로봇이었던가? 아니다. 다만 그는 제복 속에 방탄조끼를 입고 있었을 뿐이다.

합성 섬유 중에는 아라미드라고 부르는 초강력 섬유들이 있는데, 그 대표적인 예가 케블라다. 이 섬유는 종래의 방탄조끼 제조에 사용했던 티탄과 철의 합금 섬유에 비견할 만한 강도를 지니면서도 훨씬 가벼워 조끼를 경량화하는 데 큰 역할을 했다. 또한 착용성도 금속 섬유보다 우수하고 미관도 훨씬 뛰어났다. 케블라 방탄조끼는 흔히 앞뒤 겉면은 폴리에스테르 섬유로, 가운데는 8~10장의 케블라 직포로 되어 있다. 이밖에 케블라 섬유는 방탄모 및 기타 복합재료 제조에도 널리 사용되고 있다. 그러나 이 섬유는 너무 빳빳해서 일반 옷감을 만들기에는 부적합하

이 섬유는 종래의 방탄조끼 제조에 사용했던 티탄과 철의 합금 섬유에 비견할 만한 강도를 지니면서도 훨씬 가벼워 조끼를 경량화하는 데 큰 역할을 했다. 왼쪽: © Anthony Furgison | Dreamstime.com, 오른쪽: © Dmitri Mihhailov | Dreamstime.com

기 때문에, 이보다 강도는 좀 떨어지지만 더 부드러운 노멕스라는 아라미드 섬유가 우주복, 소방복 및 보호장갑 등을 만드는 데 쓰인다. 더욱이 노멕스는 열에도 잘 견딘다.

합성 섬유 기술의 발전은 정말 놀라울 정도다. 섬유가닥 가운데에 구멍을 뚫어 보온력을 크게 증가시키는 동시에 한층 가벼워진 섬유, 빨아 입을 수 있어 물실크라고 부르는 폴리에스테르로 만든 인조 비단, 둥글지 않고 각이 지게 방사한 직물을 만들어 한복으로 지어 입고 다니면 천연 비단처럼 사각사각 소리가 나도록 만든 섬유, 정전기를 막을 수 있게 변형시킨 섬유, 잘 타지 않게 만든 섬유, 고무줄처럼 탄력이 큰 섬유 등은 모두 우리나라에서도 생산되고 있는 최신 섬유들이다.

방수 스키복이나 방수 재킷은 더욱 신기하다. 이 제품들의 광고를 보면 땀은 잘 빠져나가지만 빗물은 스며들지 않는다고 한다. 땀이나 비의 주성분이 동일한 물인데 어떻게 그럴 수 있을까? 이 옷감을 전자현미경으로 관찰해보면 매우 미세한 구멍들이 수없이 많은데, 마치 여러 겹을 겹쳐놓은 거미줄처럼 보인다. 이 구멍들의 크기는 대략 0.02~15마이크로미터로 수증기 분자의 약 7000배에 해당하지만, 물방울 크기에 비하면 2만 분의 1 정도다. 따라서 물방울은 통과할 수 없지만 수증기 분자는 자유롭게 드나들 수 있다. 병뚜껑, 빨랫줄, 합성 종이 등을 만드는 데 사용하는 폴리프로필렌(PP)으로 이런 특수 재킷을 제조한다니 놀라운 일이 아닐 수 없다.

우리나라에서도 개발되어 시판되고 있는 인조 스웨이드(새미라고도 하는 부드럽게 무두질해 보풀이 있는 가죽) 또한 신비한 신소재 섬유 제품에 속한다. 이 제품은 보통의 섬유보다 훨씬 가늘게 뽑은 극세섬유(폴리에스테르나 나일론 섬유를 사용)로 퍼(fur) 구조를 만든 후 가죽처럼 탄성을 갖도록 내부층에 폴리우레탄 수지를 침투시켜 제조한다. 천연 스웨이드 표면에는 가느다란 콜라겐 섬유가 밀집하여 정돈되어 있으며, 합성 스웨이드는 바로 이 천연 스웨이드를 모방해 제조한다. 이렇듯 개발해야 할 첨단기술과 제품이 한없이 많은데 요즈음 섬유산업이 사양산업이라는 말은 도저히 믿어지시 않는다.

4. 현대문명 속에 숨어 있는 화학

폐페트병으로 만든 등산용 재킷

용기의 변천 역사는 바로 재료의 역사다. 토기, 목기, 청동기, 자기, 유리, 철기 등의 여러 가지 재료로 용기를 만들어 사용한 인류문명의 발달사는 기술의 변천을 그대로 보여준다. 유리 및 철기 다음으로 나타난 재료는 플라스틱이었다. 전 세계적으로 볼 때 제1차 세계대전 이후 플라스틱 소비량이 계속 증가하여, 1980년대 중반부터는 철재 소비량을 능가했기 때문에 현대를 플라스틱 시대라고 부르는 일이 조금도 놀랍지 않다. 더구나 요즈음은 돈도 플라스틱으로 만들고 있지 않은가. 각종 크레디트카드가 플라스틱 재료로 만들어졌음을 우리는 모두 잘 알고 있다.

폴리에틸렌(PE), 폴리스티렌(PS)과 폴리염화비닐(PVC)은 우리가 주위에서 가장 흔하게 볼 수 있는 일반 플라스틱이다. 그러나 이들로는 잘 깨지지 않는 병을 만들기에 부족한 면이 있었다. 우리는 어느새 새로운 플라스틱 재료인 페트(PET)에 익숙해졌으며, PET로 만든 병을 흔히 페트병이라 부른다. 요즘은 콜라병이나 식용유병 등 페트병이 너무 많이 사용되어 폐페트병 재활용이 세계적으로 골칫거리가 되고 있다.

도대체 이 페트 또는 PET라는 재료는 무엇일까? 그 답을 말하기 전에 섬유 이야기를 좀 해보자. 확실히 지금은 무명, 양모, 비단 등 천연 섬유보다 합성 섬유가 더 많이 사용되고 있다. 여성들의 스타킹 제조에 중요한 나일론, 물실크 제조나 겉옷감 제조에 사용하는 폴리에스테르, 인조털실을 만드는 데 사용하는 아크릴 섬유를 3대 합성 섬유라 부른다. 그중에서 폴리에스테르 섬유는 우리나라에서도 많이 생산되는데, 이 섬유로 만든 직물은 잘 구겨지지 않고 해어지지도 않아 의류를 만들 때 널리 쓰인다. 단, 수분을 잘 흡수하지 못하는 단점이 있어 내의 제조에는 적합하지 않다.

그런데 이 섬유 제품을 다시 용융시켜 재가공하면, 잘 부러지지 않고 질긴 플라스틱 필름이나 플라스틱 제품을 만들 수 있다. 카세트테이프나 비디오테이프의 원료가 폴리에스테르 섬유의 원료와 같다. 이처럼 같은 고분자 재료도 어떤 모양으로 가공하는지에 따라 성질과 용도가 달라진다. 다시 말해 페트병 제조에 사용하는 폴리에스테르와 합성 섬유로 사용하는 폴리에스테르에는 근본적으로 차이가 없다는 이야기다.

그래서 얼마 전 한 회사가 페트병을 수거해 섬유 형태로 재가공한 후 등산용 재킷을 만들었다는 뉴스도 그리 놀라운 일이 아니었다. 성인용 등산재킷 하나를 만드는 데 폐페트병이 15개 정도 필요한데, 폐품으로 만든 등산재킷의 촉감, 보온성과 탄력성 등이 일반 폴리에스테르로 만든 제품에 뒤지지 않는다고 회사 측은 주장했다. 폐품의 재활용이라는 관점에서 보면 지극히 권장할 일이지만 페트병 수거와 세척, 재가공 등의 과정을 거치면서 정상 공정으로 만든 의류보다 값이 더 높아지는 단점이 있다. 앞으로 재활용 과정에서 좀더 비용 절감이 된다면 갈수록 심각해지는 플라스틱의 공해를 조금이나마 줄일 수 있으리라 생각된다. 우리나라에서 소비되는 페트병만 해도 자그마치 연 6만 톤 정도나 되며, 매년 그 사용량이 증가하고 있기 때문에 이 같은 기술은 더욱 중요하게 여겨질 것이다.

기상천외한 기능을 지닌
첨단 섬유들

햇빛을 받으면 따뜻해지는 섬유, 기온이 변하면 색깔이 변하는 섬유, 천연 가죽보다 더 부드러운 인조 가죽 제조용 섬유, 수술자리 봉합 후 분해 흡수되는 인공 봉합사, 인공 신장기로 사용하는 가운데 구멍이 뚫린 중공사, 광통신용 플라스틱 광섬유, 땀은 배출하되 빗물은 스미지 않는 방수복 제조용 섬유 등 참으로 기상천외한 기능을 지니는 수많은 첨단 섬유가 국내외에서 개발되어 쓰이고 있다.

그런데도 많은 사람들은 섬유산업이 사양길이라며 하루바삐 떨쳐버려야 한다고 한다. 그러나 이런 주장은 참다운 연구 개발에 별로 생각이 없는 사람들의 주장에 지나지 않는다.

위에서 여러 기능을 지니는 특수 섬유를 열거했는데, 우리 주위에서 흔히 볼 수 있는 인조 가죽과 수술용 봉합사, 그리고 최근 국내에서도 시판되기 시작한 삼림욕 섬유가 어떻게 만들어지는 제품인지 차례로 알아

　　　　　　　　　　　　4. 현대문명 속에 숨어 있는 화학

보자.

인조 가죽은 1950년대부터 천 위에 비닐(연질 PVC)을 코팅한 제품이 사용되다가 1960년대에 천 위에 폴리우레탄을 코팅해 더 부드럽고 수분이 더 잘 통하는 제품이 개발되어 현재까지 사용되고 있다. 또한 1960년대 후반부터 1970년대 초 인조 스웨이드 가죽이 개발되었는데, 다루기 힘든 가죽 제품에 비해 세탁이 간편하고 여러 가지 산뜻한 색상까지 가능해 소비가 늘어나고 있다. 우리나라에서도 여러 해 전부터 개발되어 시판되고 있는데, 흔히 포르메딕스(다공성 인공 피혁)라고 부르기도 한다. 인조 가죽을 만드는 과정은 매우 까다롭고 복잡하지만, 되도록 천연 가죽의 주성분인 콜라겐이라는 단백질 섬유의 굵기와 통기성, 수증기의 통과 특성을 모방하는 동시에 오래 사용할 수 있도록 만들고자 했다.

기본적으로는 머리카락 굵기의 1000분의 1도 되지 않는 폴리에스테르나 나일론 섬유를 기계적 방법을 동원하여 부직포로 만든다. 또는 더 굵은 섬유가 미세구멍을 많이 갖도록 방사해 부직포를 만든다. 이 부직포를 폴리우레탄이 녹아 있는 유기 용매 용액에 담근 후 비용매를 사용해 응결시킴으로써 다공성 인공 피혁을 만든다. 후처리 과정에서는 인공 피혁 표면의 매끈함 정도를 조절하고, 문양을 넣어 물감을 들인다. 특히 인조 스웨이드는 천연 가죽보다 가볍고 가죽 제품 특유의 냄새도 없어 더욱 환영을 받고 있다.

요즈음은 병원에서 수술 후 꿰맨 수술용 실을 빼지 않는 경우가 종종 있다. 사실 수술한 자리가 아물어 수술용 실을 뺄 때의 통증은 수술할 때보다 더 심해서 이 통증을 경험한 사람들은 쉽게 잊지 못할 정도다. 전에는 수술용 실로 명주실, 면사, 리넨사 등을 사용했으나 요즈음은 폴리에스테르, 나일론, 폴리프로필렌사 등을 점점 더 많이 사용하고 있다. 그런데 이 실들은 우리 몸에서 분해되지 않으므로 반드시 제거해야만 한다.

그러나 1970년대부터 덱손이라는 새로운 흡수성 수술용 실이 시판되고 있다. 덱손은 합성 고분자로 만든 실인데도 인체 내에서 서서히 분해되어 2개월에서 6개월 내에 모두 흡수되어 없어지는 특성을 지닌다. 덱손의 화학적 구조는 글리콜산이나 락트산을 이용해 만든 지방족 폴리에스테르가 주종을 이룬다. 때로는 이들을 함께 사용한 공중합체 구조를 지니기도 한다. 물론 글리콜산이나 락트산을 직접 사용하지는 않으며 매우 까다로운 중합법을 사용해야 한다. 최근에는 카프로락톤이나 다른 락트산 고리 열림 중합으로도 흡수성 수술용 실을 만든다. 이들이 바로 생분해성 고분자에 속하는 무리이다.

옷을 입은 것만으로도 요즈음 유행하는 삼림욕이 가능하고, 베개나 이불의 솜 덕분에 자면서도 삼림욕을 즐길 수 있다면 얼마나 좋을까? 실제로 이런 제품이 우리나라에서 시판되고 있으니 놀라운 일이다. 물론 어떤 물질이 삼림욕의 효능을 주는지는 여전히 연구 대상이지만, 녹음이 짙은 숲속을 거닐면 누구나 기분이 좋아진다. 삼림욕이 피로감을 없애주고 감기를 낮게 한다는 통계도 나와 있다.

삼림욕의 효과가 피톤치드라고 부르는 물질 덕분이라는 보고가 있었다. 피톤치드는 고등식물이 상처로부터 자기를 보호하기 위해 분비하는 물질로 테르펜류가 많이 포함되어 있다. 이 피톤치드를 노송 등에서 채취해 아주 작은 캡슐로 만든 후 섬유를 방사할 때 함께 섞어 방사하고, 가는 실 속에 이 캡슐이 들어 있게 해놓으면 삼림욕 효과를 주는 건강 섬유가 된다. 그런데 피톤치드가 캡슐 속에 갇혀 있기만 하면 아무런 효과도 주지 못한다. 따라서 섬유가 마찰하거나 압력을 받을 때 이 미세 캡슐이 터지년서 서서히 피톤치드가 밖으로 승발하는 원리를 이용한다. 이런 실로 직물을 만들거나, 베갯속 혹은 이불솜을 만들면 우리는 바로 옷 속이나 침대 위에서 삼림욕을 즐길 수 있게 된다.

요즈음 미국에서는 항균 소독제를 넣은 어린이 제품이 유행하고 있다고 한다. 화학이 인류를 보호하고 생활을 편리하게 하는 첨단기술의 보고임을 우리는 너무 자주 잊고 있는 건 아닐까!

적외선은
열인가 빛인가

사람이 가까이 다가서면 손으로 열지 않아도 저절로 열리는 기차문, 가까이 서기만 해도 쏟아져 나오는 소변기 물, 그리고 깜깜한 밤에도 적군의 위치를 정확히 알아 폭격 지점을 알려주는 기발한 첨단 센서 기술 등은 모두가 적외선 센서를 이용한 예다. 그런데 이런 감지 장치가 열을 감지한다고 하는 사람도 있고, 빛을 감지한다고 하는 사람도 있다. 분명한 것은 이 모든 감지 장치가 사람에게서 나오는 적외선을 감지한다는 사실이다. 그렇더라도 모든 의문이 풀리지는 않는다.

영어사전에서 infrared ray를 찾아보면 적외선뿐만 아니라 열선이라고도 풀이되어 있다. 열선이라면 열적인 요소와 빛(선)의 요소가 함께 있다는 말인가? 여기서 빛과 열의 물리학적 정의까지 내릴 필요는 없으나, 우리가 흔히 빛이라 부를 때는 그 빛을 눈으로 볼 수 있어야 하고, 또 열이라면 온도 차이 때문에 물질 간의 에너지 이동이 수반되어야 한다. 그렇

전자기 스펙트럼

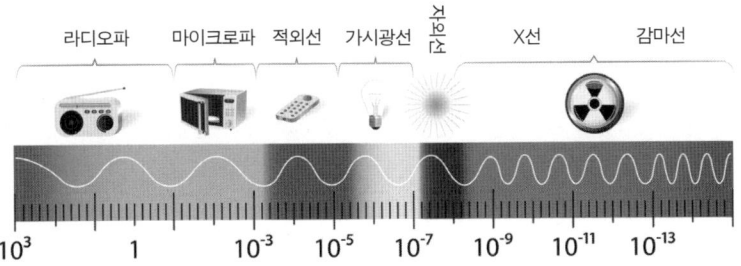

적외선은 가시광선보다 파장이 긴 전자기파로, 우리가 매일 태양으로부터 받아 따뜻하게 느끼는 에너지파이다. © Designua | Dreamstime.com

---

다면 적외선은 빛도 열도 아니므로 '수송중에 있는 열'이라는 표현이 적절해 보인다.

적외선은 가시광선(400~700나노미터)보다 파장이 긴 전자기파로, 우리가 매일 태양으로부터 받아 따뜻하게 느끼는 에너지파이다. 에너지파 중에서 라디오파가 가장 에너지가 낮고 감마선이 가장 큰 에너지를 지니는데, 이 둘 사이에는 에너지가 큰 순서대로 마이크로파, 적외선, 가시광선, 자외선, X선 등이 있다. 감마선은 대부분 방사능 물질에서 나오고, 라디오파, 마이크로파와 X선 등은 기술적으로 만들며, 나머지는 태양으로부터 풍부하게 얻고 있다.

이 전자기파들을 감지하려면 이들이 지니는 에너지에 잘 맞는 특수 감

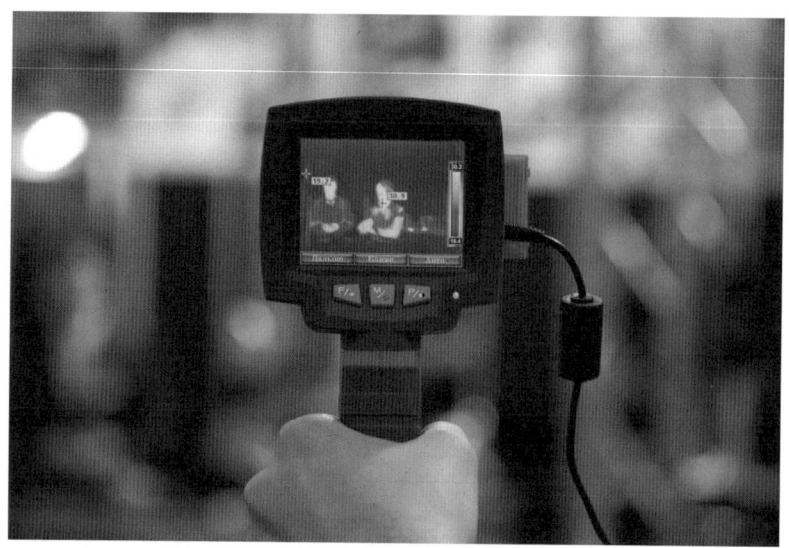

뛰어다니는 산 속의 물체를 적외선 감지기로 감지하여 운동속도와 크기로 동물인지 사람인지를 추정하고 구별한다. © Nikkytok | Dreamstime.com

지 장치를 사용해야 한다. 우리 눈도 매우 민감한 장치인데, 우리 눈이 볼 수 있는 파장을 지니는 빛을 흔히 가시광선이라 부른다. 라디오파나 마이크로파는 안테나로 받아 모은 후 전자 회로를 이용해 우리가 보거나 들을 수 있게 바꾸어놓는 것이며, X선과 감마선은 가이거 계수기 같은 특수 장비를 이용해야 감지가 가능하다.

빛이 물질에 부딪히면 되튀거나 흡수되거나 통과하는 속성이 있는데, 가시광선은 대부분 되튀고 X선은 주로 통과해버리지만, 적외선은 대부분의 물질들이 흡수한다. 적외선을 흡수하면 물질 속에 있는 분자들의

4. 현대문명 속에 숨어 있는 화학

에너지가 커지면서 더 뜨거워진다. 따라서 적외선은 어떤 물질이 부딪혀 흡수되기 전까지는 '열'로 행동하지 않는다. 앞에서 적외선을 '수송중에 있는 열'이라고 표현한 까닭을 이해했을 것이다. 병원에서 환부를 덥힐 때나 음식점에서 음식물을 데울 때, 또 화학 실험실에서 화합물을 변질 시키지 않고 건조하고 싶을 때 적외선 램프를 사용한다. 적외선 램프에 손을 가까이 대보면 빛이 우리 손을 때리는 순간 뜨거운 것을 느낄 수 있으며, 마치 어떤 입자들이 피부에 충돌하는 것처럼 느낀다. 그러기에 빛은 파동과 입자의 이중성을 지니고 있다고 하지 않던가.

가장 재미있는 적외선 응용은 밤중에도 사진을 찍는 적외선 사진술이다. 이는 더운 물체가 열을 발산할 때 그 일부를 적외선 형태로 발산하는 현상을 이용한 기술이다. 적외선에 민감한 특수 필름으로 촬영하거나 적외선을 받으면 인광 빛을 내는 스크린으로 받아 눈으로 볼 수 있게 하는 기술이 발달되었기 때문에 가능하다.

뛰어다니는 산 속의 물체를 적외선 감지기로 감지하여 운동속도와 크기로 동물인지 사람인지를 추정하고 구별한다. 또한 사람을 찾을 수 있는 예민한 적외선 감지기를 이용해 밤중에 숨어 있는 적도 찾아낼 수 있으며 적군의 이동까지도 세세하게 알 수 있다. 우리나라에서도 잠수함을 이용해 무장간첩이 침투했을 때 이들을 소탕하는 과정에서 적외선 감지법을 사용했다. 요즈음 무기 개발에 사용되는 신기술은 참으로 놀라워 보이지만 알고 보면 그 원리는 무척 단순하다.

버릴 것 하나 없는
원자재의 황제, 석유

석유 또는 원유의 주성분은 지방족 탄화수소와 방향족 탄화수소이며 황과 질소 화합물이 1~6퍼센트 포함되어 있다. 생산지에 따라 조성에 차이가 있으나 대략 500종 이상의 화합물이 섞여 있다. 석유가 어떻게 만들어졌는가에 대한 이론은 아직도 학계에서 논란이 되고 있으나, 일반적으로 미생물이나 기타 유기 물질이 지하에 차단된 채 분해되고 환원되어 생겼다고 믿는다.

사람들은 흔히 석유가 중동지방에서 처음 발견되었다고 생각하지만, 실제로는 19세기 중엽 미국 펜실베이니아 주에서 최초로 발견되었다. 20세기 들어서야 중동(이란)에서 유전이 발견됐으며, 1920년경부터는 연료로서 뿐만 아니라 화학 제품 원료 제공원으로서 그 중요성을 점차 인정받게 되었다.

원유는 그 자체로 사용되지 않으며 정유, 크래킹, 개질(리포밍), 이성

질화, 알킬화 등의 공정을 거쳐 필요로 하는 연료와 화학 물질을 공급해 준다. 그런데 원유에서 얻는 성분은 주로 어디에 사용되고 있을까? 단연코 연료로 사용하는 양이 가장 많다. 가솔린 47퍼센트, 디젤엔진과 가정 연료 20퍼센트, 제트기 연료로 10퍼센트를 소비하고 있으니 결과적으로 약 77퍼센트를 연료로 사용하는 셈이다.

다른 용도로는 윤활제, 왁스와 드라이클리닝에 10퍼센트, 보일러 오일에 7퍼센트, 아스팔트와 도로포장에 3퍼센트를 사용하고 있다. 현대를 석유화학시대라고 부르는데, 실제 소비하는 석유 중 석유화학 공업에 사용하는 양은 놀랍게도 3퍼센트밖에 되지 않는다. 그중 절반은 플라스틱 제품 제조에 쓰이고, 나머지 반이 여러 화학 제품 제조에 사용된다.

우리 주위에서 흔히 볼 수 있는 폴리에틸렌(PE)은 대표적인 석유화학 제품으로, 플라스틱이라 부르는 고분자 재료에 속한다. 폴리에틸렌은 에틸렌을 중합하여 제조하고, 에틸렌은 나프타 크래킹이라는 과정을 거쳐 만드는데, 나프타는 석유를 정제하여 얻는다. 온실을 만드는 데 사용하는 비닐, 아기 우유병, 치약 튜브 뚜껑과 청량음료병, 플라스틱 뚜껑, 쇼핑백, 플라스틱 파이프, 가솔린 탱크, 수술 장갑, 1회용 기저귀 커버, 음식물 보관에 사용되는 랩, 플라스틱 조화, 코팅, 전깃줄 피복재 등이 모두 폴리에틸렌이다.

폴리에틸렌 제조에 사용하는 에틸렌은 합성 에탄올(합성주), 부동액, 비이온성 계면활성제, 껌, 드라이클리닝 용매 등을 만드는 원료이며, 벤젠과 함께 스티렌 제조에도 사용된다. 스티렌이 없으면 폴리스틸렌(PS),

연료로서 뿐만 아니라 화학 제품 원료 제공원으로서 그 중요성을 점차 인정받게 되었다.
© Celso Diniz | Dreamstime.com

스티렌-아크릴로니트릴 공중합체(SAN), ABS 및 SBR 불포화 폴리에스테르 등을 만들 수 없다. 스티로폼 단열재 및 포장재, 전자제품, 가정용품 및 가구, 전화기 등은 PS, SAN 및 ABS 플라스틱으로 만들며, SBR는 각종 타이어 제조에 필수적이다.

나프타를 크래킹할 때 에틸렌과 함께 생기는 프로필렌 또한 수많은 제품의 원료다. 우선 프로필렌으로 폴리프로필렌(PP)을 만들며, 자동차 내장 및 외장, 배터리통, 직물, 장난감, 플라스틱 뚜껑, 물에 젖지 않는 합성지 및 봉투, 카펫 제조에도 쓰인다.

지금까지 언급한 제품만 해도 수십 가지가 넘지만 여기서 끝나지 않는다. 폴리에스테르 섬유 및 플라스틱 병, 카세트테이프 및 비디오테이프, 나일론 섬유, 아크릴 섬유가 모두 석유화학 제품이다. 콘택트렌즈도 석유에서 나왔으며, 비행기의 플라스틱 유리창도 석유로 만든다. VIP 경호원이 입는 방탄조끼도 석유화학 제품이며, 테니스 라켓 프레임도 카본섬유로 강화시킨 플라스틱으로 석유화학 제품이다. 반도체 가공에 꼭 필요한 포토레지스트, 폴리이미드, 에폭시 수지도 결국 석유 제품에 불과하다. 그뿐이랴. 하수도 파이프로 쓰이는 PVC파이프, 인조 가죽으로 이용되는 연질 PVC, 창문틀을 만드는 발포

4. 현대문명 속에 숨어 있는 화학

경질 PVC도 모두 석유화학 제품이다. 인공 신장, 인공 심장, 1회용 주사기 등 의료용 고분자도 석유가 출발점이다.

더욱 놀라운 일은 진통 해열제인 아스피린과 타이레놀, 식품의 방부제로 쓰이는 벤조산나트륨과 BHT, 선글라스를 만드는 폴라로이드 플라스틱 렌즈, 사진 필름, 합성 세제, 각종 염료, 화장품, 인공 감미료인 사카린 등도 석유 없이는 만들지 못한다는 사실이다. 석유를 먹고 자라는 미생물이 발견된 지도 오래되었으며, 석유로부터 단세포 생물의 단백질을 만들 수도 있다. 이 단백질은 양질이어서 동물 사료로도 손색이 없다.

이렇게 중요한 석유의 대부분을 연료로 태워버리고 있으니, 지금처럼 석유를 소비하면 앞으로 100년도 되지 않아 고갈될 게 분명하다. 그때 인류는 앞에서 열거한 모든 제품을 어떻게 만들어 사용할까? 더구나 위의 예들은 수많은 석유화학 제품 중 일부분에 지나지 않는다. 궁극적으로 인류의 생존이 석유의 장기적 이용 가능성 여부에 달렸다고 해도 과언이 아니다. 그렇기에 전 세계가 대체 에너지 개발에 많은 노력을 기울이고 있다. 우리 후손들을 위한 준비가 아직 늦지 않았기를 바랄 뿐이다.

패치약으로
병을 치료하는 시대

고속버스 속에서 귓바퀴 뒤에 동그랗게 반창고를 잘라 붙인 아주머니들을 많이 본다. 차멀미를 방지하기 위해 이런 모양으로 약을 붙인 것이다. 또 담배를 끊기 위해 커다란 반창고를 가슴팍에 붙이고 다니는 남성들도 심심치 않게 볼 수 있다. 흔히 패치약이라 부르는데, 도대체 이들은 무엇이고, 다른 방법으로 약을 복용할 때보다 어떤 장점이 있을까? 또 어떤 패치약이 시중에서 팔리고 있으며, 개발되고 있을까?

약은 보통 입, 눈, 코 등을 통해 복용하며 또 주사를 통해서 취하기도 한다. 그런데 이런 방법은 복용 시간 간격을 맞추기 불편할 뿐 아니라, 어떤 약은 위, 장, 간 등에서 부분적으로 파괴되기 때문에 복용하는 약의 일부만 혈류에 도달한다. 이런 약점을 개선하고 환자들이 더 좋아할 만한 여러 방법이 개발되고 있는데, 그 가운데서도 패치약이 가장 눈에 뜨인다.

4. 현대문명 속에 숨어 있는 화학

패치법은 구역질을 잘 하거나 인사불성인 환자에게 특히 유용하다. 약물을 직접 혈관으로 전달할 때 자주 경험하는 구역질의 위험이 없고, 경구 복용이나 주사를 맞을 때는 시간이 경과하면 혈액 중 약물 농도가 일정하지 않지만 패치를 사용하면 이를 일성하게 유지할 수 있다. 또한 패치약을 붙이면 시간에 맞추어 약을 먹거나, 약을 먹기 위해 잠을 깨야 하는 번거로움도 없다. 물론 일정 속도로 일정량의 약물이 피부를 통해 흡수되도록 패치를 만들기란 그리 쉬운 일이 아니며, 더구나 피부를 자극하거나 염증을 유발해서도 안 된다.

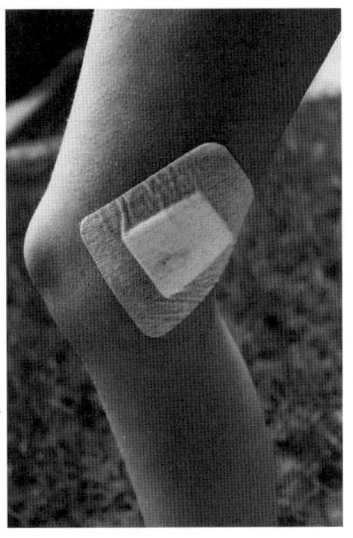

연고나 크림도 피부를 통해 약을 분배하는 방법이지만, 피부에 붙이는 패치약은 흡수되는 양을 조절할 수 있을 뿐 아니라 지속성이 크기 때문에 인기가 점점 늘고 있다.

연고나 크림도 피부를 통해 약을 분배하는 방법이지만, 피부에 붙이는 패치약은 흡수되는 양을 조절할 수 있을 뿐 아니라 지속성이 크기 때문에 인기가 점점 늘고 있다. 패치약은 1981년 미국에서 처음 시판하기 시작했으며, 멀미약이 바로 최초의 패치약이었다.

패치약에는 몇 가지 유형이 있는데, 가장 흔한 패치약은 다공성의 얇은 막, 약물, 접착제 및 라이너로 되어 있다. 앞에서 말한 차멀미 및 금연용 패치약 이외에 남성 호르몬인 테스토스테론 패치가 이 호르몬 생산

결핍증 남성들을 위해 시판되고 있으며, 협심증 환자를 위한 니트로글리세린 패치, 암환자 등을 통증에서 보호하기 위한 마취약 패치, 고혈압 조절을 위한 패치 등이 시판되고 있다. 차멀미 방지에는 스코폴라민이라는 약물을 사용하며, 금연용에는 니코틴을 패치 모양으로 만든다. 이 외에 알코올 중독 및 신경통 환자를 위한 패치, 또한 남성용 피임약과 당뇨병 환자를 위해 장기간 지속적으로 인슐린 공급을 해줄 수 있는 인슐린 패치도 개발중이다.

바야흐로 패치약 시대가 도래하고 있으며, 머지않아 조그만 패치를 몸에 붙이고 고혈압, 심장병 및 당뇨병을 겁내지 않아도 될 날이 올 것이 분명하다. 질병에 따라 여기저기 패치를 붙인 사람들을 보고도 별로 놀라지 않을 날이 우리 앞에 다가서고 있다.

4. 현대문명 속에 숨어 있는 화학

주머니 난로의
비밀

지금도 시골 산간에서 볼 수 있는 옛 생활용품으로 화로가 있다. 아궁이에 나무나 볏짚을 태워 구들이 따끈따끈해도 여전히 코끝을 시리게 하던 한겨울의 매서운 외풍을 이기게 해주던 질그릇 화로는 참으로 정겨운 생활 필수품이었다. 타다 남은 재를 화로에 담아 방 안에 들여놓으면 따끈한 바닥과 함께 훈훈한 온기가 방안을 채웠다. 화롯가에서 할아버지와 할머니의 옛날이야기를 듣는 재미도 재미였지만, 화로의 재 속에 묻어 구워먹던 군밤과 군고구마 맛을 어떻게 잊을 수 있을까?

　몹시도 추웠던 그때는 조금이라도 체온을 높이기 위해 뜨거운 물주머니를 애용했으며, 작은 손전등을 켜 주머니 속에 넣고 다니기도 했다. 이처럼 주머니 속 난로도 여러 형태로 변해왔다. 세월이 지나 핵융합 기술이 극도로 발전해서, 주머니 속에 조그만 핵융합 난로를 넣고 다니면 겨울에도 외투가 필요 없으리라는 약간은 허황된 생각도 해본다.

그런데 요즘 사용하는 시커먼 가루가 담긴 일회용 주머니 난로는 무엇일까? 철가루가 주성분이라면 누구나 놀랄 것이다. 철가루가 어떻게 난로 노릇을 할까? 또 겉봉지 안에 들어 있는 속봉지는 무슨 역할을 할까? 답은 아주 간단하다. 주머니의 주성분은 고운 철가루다. 이 철가루가 서서히 공기와 반응해 산화철이 된다. 이처럼 산소와 반응하는 것을 산화 반응이라고 하며, 산화 반응이 빨리 일어나 불꽃이 생기면 탄다고 말한다. 못이 공기 중에 노출되면 서서히 녹이 슨다. 이 변화도 산화 반응이지만 속도가 매우 느려 열을 느끼지 못한다.

그러나 주머니 난로에 사용하는 철가루는 너무나 미세해서 그 표면적이 매우 넓으므로 공기와 쉽게 접촉해 공기와의 산화 반응이 빨라지며 이때 열이 난다. 그래도 탈 정도로 열이 나지는 않는다. 주머니 난로 속에 들어 있는 고운 철가루를 순수한 산소 속에 넣으면 매우 빨리 산화되어 급속히 열이 난 뒤 식지만, 시판되고 있는 제품들은 흔히 12시간 정도 계속 열을 내도록 몇 가지 다른 성분을 섞어놓았다. 예를 들면 활성탄 가루, 소금, 수분 등이다.

그런데 왜 플라스틱 봉지 속에 봉지를 하나 더 만들어 그 속에 철가루 혼합물을 넣어 팔까? 철가루와 공기가 미리 섞여 있다면 밀봉하더라도 자기들끼리 반응해 철가루는 산화철로 변해 있어서, 결국 이 철가루 혼합물은 상품 가치를 잃는다. 제품을 운반할 때 뜨끈뜨끈해지면서 모두 산화철이 되어버린다면 큰일이 아니겠는가. 그래서 바깥 플라스틱은 공기가 잘 투과되지 않는 재료로 만들어 공기가 속봉지에 접근하는 것을 막아준다. 따라서 사용할 때는 바깥포장 봉투를 열고 속봉지만 주머니에 넣으면 된다. 봉지 속 내용물은 공기가 쉽게 통할 수 있는 재료로 만든다.

그런데 왜 이 주머니는 재생하지 않고 1회만 사용할까? 이 주머니 난로가 역할을 끝내도 그 난로 속에는 산화철이 들어 있기 때문에 이를 다시 철가루가 되도록 환원시키면 원래 상태가 되어 다시 사용할 수 있다. 문제는 경제성이다. 이 산화철을 대량으로 수거해 커다란 공장을 만들 수 있다면 얘기는 달라지겠지만 말이다.

기저귀는 물을
얼마나 먹을까

종이가 자기 무게의 50배나 되는 물을 흡수한다면 놀라운 일 아닐까? 만약 1000배나 되는 물을 흡수하되 물속으로 녹아 들어가지는 않고 그 많은 물을 그냥 붙들고만 있다면 믿을 수 있을까? 하긴 우리가 매일 사용하는 화장지도 자기 무게의 20배 정도까지 물을 빨아들이니, 종이의 주성분인 셀룰로오스(목면)는 상당히 많은 물을 흡수할 수 있다. 그러나 종이가 흡수한 물은 압축하면 쉽사리 다시 밖으로 나온다.

    오래전 미국 농무부의 한 연구소가 옥수수 녹말을 어디에 이용할지를 여러 각도로 연구하고 있었다. 녹말은 화학적으로 셀룰로오스와 유사하며, 글루코오스(포도당) 수백 개가 연속적으로 결합하고 있어 분자량이 큰 일종의 고분자다. 그런데 사람은 녹말은 소화할 수 있지만 셀룰로오스는 소화하지 못한다. 포도당 고리가 길게 연결된 모양이 조금 달라서 이런 차이가 생기는 것이다. 어쨌든 녹말 연구를 하다가 녹말에 폴리아

                              4. 현대문명 속에 숨어 있는 화학

보통 사용하는 화장지나 종이와 달리 고흡수성 고분자는 물을 단단히 잡고 있으므로 웬만큼 압력을 가해도 흡수된 물이 쉽사리 되나오지 않는다. © Seralexvi | Dreamstime.com

크릴로니트릴 사슬을 길게 접합시켜 복합 구조를 만들어본 연구팀은 이것이 놀랍게도 수백 배나 되는 수분을 흡수함을 발견했다. 폴리아크릴로니트릴은 아크릴 인조 섬유 제조에 사용되는 또 다른 고분자다.

이러한 사실이 알려지자 여러 나라에서 고흡수성 제품 개발에 열을 올렸다. 물론 녹말뿐만 아니라 셀룰로오스에 폴리아크릴로니트릴을 접합시켜 접합 고분자를 만들어도 흡수성이 크게 증가된다. 이 접합 고분자의 폴리아크릴로니트릴 곁가지 부분을 알칼리로 가수분해하고 염 형태로 만들면 흡수성이 더 증가하며, 소위 고흡수성 또는 초흡수성 고분자가 된다. 이들은 흔히 백색 분말이나 과립 형태로 생산된다.

그런데 이들은 어디에 사용될까? 주위에서 쉽게 볼 수 있는 종이기저 귀에도 이 고흡수성 고분자가 들어 있으며, 30~50배의 오줌을 빨아들일 수 있다. 오줌에 있는 염분, 요소 및 기타 성분 때문에 순수한 물만큼 많이 흡수하지는 못하지만, 화장지나 종이와 달리 고흡수성 고분자는 물을 단단히 잡고 있으므로 웬만큼 압력을 가해도 흡수된 물이 쉽사리 되나오지 않는다. 여성용 생리대도 이 고흡수성 고분자층을 갖고 있다.

그밖에도 고흡수성 고분자의 용도는 다양하다. 흡수한 수분을 매우 천천히 증발시키므로 찜질포로 사용할 수 있고, 수용성 방향제를 함께 흡수시키면 수분과 동시에 방향제가 서서히 증발하여 실내를 향기롭게 할 수 있는 실내용 방향제로 쓸 수도 있다. 또 토양 속의 수분을 붙들어서 강수량이 적어도 지속적으로 작물에 물을 제공할 수 있는 농업용 토양 보수제로서의 응용도 관심을 끌고 있다. 이밖에 인공 신장용 거름 장치나 혈액 흡착제로도 이용할 수 있으며, 물을 싫어하는 고무 재료에 섞어 탄성을 갖는 흡수성 재료를 만들면 의료용 고무로도 쓸 수 있으리라고 본다.

최근에는 고흡수성 고분자 재료와 반대 특성을 지니는, 다시 말해 기름을 많이 흡수하는 고흡유성 고분자 재료에 대한 관심도 크게 늘고 있다. 이 재료가 개발되면 바다에 유출된 기름을 효율적으로 제거할 수 있고, 고무의 탄성이나 비중을 다양하게 조절하여 새로운 용도를 생각해볼 수도 있다. 이렇듯 고분자 재료의 이용 범위는 계속 넓어지고 있다. 그래서 현대를 고분자 시대라고 하는가.

과산화수소의 비밀

따져보니 40여 년이나 되었나 보다. 귀국 전 미국에서 지내던 시절 가끔 안사람과 말도 되지 않는 시트콤을 TV에서 보면서 웃음을 참지 못했던 기억이 난다. 〈I Dream of Jeannie〉라는 프로그램이었다. 주인이 병을 쓰다듬으면 아름다운 그녀가 하얀 연기를 타고 나와서는 여러 가지 믿지 못할 일을 벌이는 내용이었다. 그런데 그때만 해도 어떻게 우리들을 속이면서 제니가 나타나는지, 또 그 흰 연기는 무엇이고 어떻게 발생했는지 생각해보지 않았다.

요즈음 과학 아니 좁게 말해 화학을 지나치게 마술적 연출과 연결시킨다는 비판을 종종 듣고 있다. 과학을 흥미 위주로 몰고 있는 문제점의 지적이 어느 정도 정당성을 지니고 있음을 부정할 수는 없겠으나 그렇다고 과학을 지나치게 재미없게 다루어도 교육 효과 면에서 비난을 받을 수밖에 없다고 생각한다. 이쯤에서 제니 얘기로 다시 돌아가자.

제니가 흰 연기 속에서 선녀처럼 나타나는 장면은 특히 어린이들에게는 잊지 못할 기억으로 남으리라 믿는다. 그 신비로운 장면을 소독약으로 쓰이고 있는 옥시풀(과산화수소를 약 3% 포함한 수용액)의 주성분인 과산화수소의 화학 반응으로 연출했다고 한다면 누가 믿겠는가. 과산화수소(H_2O_2)는 불안정하여 쉽게 분해되며 물과 산소를 만든다. 이 반응은 발열량이 꽤 크다. 그러나 분해 반응은 비교적 느리기 때문에 가정에서 옥시풀을 장시간 보관하면서 사용하고 있다.

이 분해 반응을 빠르게 할 수 있는 방법을 화학자들은 잘 알고 있다. 예컨대 빛에 노출시킨다든가 또는 이산화망간 같은 촉매를 사용하면 된다. 빛이 반응을 촉진하기 때문에 과산화수소 병은 갈색이든지, 빛이 통하지 않는 용기를 사용한다. 이산화망간은 배터리 속에서 볼 수 있는 검은 가루다. 이산화망간 소량을 과산화수소에 넣어주면 흰 연기가 거의 순간적으로 생긴다. 흰 연기라고 했지만 실제로는 아주 작은 물방울들이 빛을 산란시키기 때문에 그렇게 보인다. 과산화수소가 촉매 때문에 빠르게 분해되면서 발생하는 열 때문에 물이 기화된 후 응축해 마치 흰 연기가 나는 것처럼 보인다. 그렇더라도 그 흰 연기 속에서 어떻게 제니가 나타나는지 궁금해진다. 이는 완전히 멋진 속임수다. 카메라 한 대는 과산화수소 분해병에 초점을 맞추고 또 한 대는 제니에게 맞추어 시간상 연속적인 것처럼 카메라들을 움직여준 덕분이다. 제니는 흰 연기를 보지도 못했다는 일화도 있다.

우리 인체 내 대사 중에도 과산화수소가 생긴다. 그러나 과산화수소가 몸에 많이 축적되지 못하도록 간에 있는 카탈라제라는 효소가 분해시킨다. 과산화수소는 인체 내에서 히드록시 라디칼($HO\bullet$)을 만들며 이 활성 화학종은 암을 유발하고 또 노화를 촉진하는 원인으로 간주된다. 글루타치온 퍼옥시다제라는 효소도 과산화수소를 물과 산소로 분해시킨다. 산소를 우리 몸 구석구석에 공급해주는 피 속의 헤모글로빈도 퍼옥시다제와 같은 역할을 한다. 다시 말해 헤모글로빈이 과산화수소를 물과 산소로 분해시키는 능력을 지녔다는 얘기다. 이 능력은 범죄 수사에서도 발견된다.

범인이 혈흔을 다 없앴다고 생각하겠지만 헤모글로빈이 방바닥에 조금만 묻어 있어도 (비록 육안으로는 알아볼 수 없다 하더라도) 이를 찾아낼 수 있다. 현장에 도착한 수사관은 과산화수소와 루미놀이라 부르는 형광 물질을 섞은 용액을 살포한다. 헤모글로빈(피)이 조금이라도 있으면 과산화수소를 분해시켜 산소를 발생시키며, 산소는 바로 루미놀과 반응해 짙은 녹색의 발광을 보여준다. 이 방법으로 하와이와 시카고에서 있었던 살인사건의 증거를 찾아낼 수 있었다. 이 이야기는 이미 앞에서 다룬 바 있다.

과산화수소가 관여하는 반응을 이용해 우리는 햄이나 소시지 등이 박테리아로 오염되어 있는지 쉽게 판별한다. 박테리아도 인간들처럼 과산화물을 만들며, 이들이 육류에 들어 있는 붉은색의 미오글로빈을 공격한다. 그때 미오글로빈은 산화분해되어 눈으로 보아도 먹고 싶다는 생각을 잃게 하는 녹색 화합물들을 만든다.

과산화수소가 전쟁에 사용된 이야기는 더 유명하다. 2차 세계대전 중 영국을 공포의 도가니로 몰아넣은 독일의 V-2 로켓의 추진 연료로 과산화수소와 이산화망간 혼합물이 쓰였기 때문이다. 독일은 코메트(Komet)라는 비밀 비행기도 개발했는데 히드라진과 메탄올 혼합물 연료를 과산화수소로 산화시켜 생기는 뜨거운 증기를 비행기의 추진력으로 사용했다.

소독약이라고 한 병쯤 집에 두고 있을 과산화수소가 이렇게 다양한 이야기의 주인공이 될 줄이야 누가 알았겠나. 균들이나 산화시켜 살균시키는 게 전부라 믿고 있었는데 …….

스마트
포장 기술

짚으로 만든 꾸러미 속에 가지런히 놓여 있는 토종닭 달걀은 어느 달걀보다도 맛있어 보인다. 그러나 요즈음 짚 꾸러미를 찾아보기란 거의 불가능에 가깝고, 게다가 토종닭 달걀까지 이야기하는 건 사치처럼 들린다. 그래도 가끔 눈에 띄는 두꺼운 종이 펄프로 만든 달걀 박스는 그나마 친근감을 주지만, 반투명 플라스틱 박스 속에 가지런히 꽂혀 있는 달걀 줄은 아무래도 장난감 같고 구미를 당기기에는 무언가 모자라게 느껴진다. 그러나 이미 1983년경부터 부피로 따졌을 때 인류가 소비하는 플라스틱의 양이 철제의 소비량을 능가하면서 소위 플라스틱 시대니 혹은 고분자 시대라고 칭하는 새로운 재료의 사회에 접어든 지 벌써 30년이 지났다. 오스트레일리아와 루마니아에서는 지폐 대신 플라스틱 종이로 만든 화폐를 사용하고 있으며, 모든 크레디트 카드가 플라스틱 제품인 것을 생각하면 분명 우리는 플라스틱 시대에 살고 있다.

제품이 출하 후 얼마나 되었는지, 경험한 온도는 어떤지, 포장된 음식이 얼마나 신선한지 등을 알리는 정보를 보여주는 스마트 라벨 사용이 우리 앞에 와 있다. © Iqoncept | Dreamstime.com

거기에 한 걸음 더 나아가 스마트 플라스틱 제품에 관한 광고가 눈에 띄기 시작한다. 아니 사람도 스마트하기 힘든데 어떻게 플라스틱이 스마트하단 말인가? 여러 용도를 위한 고분자 제품의 스마트화에 관한 논의가 한창이지만 우선 포장 재료에 국한해 몇 가지 살펴보자.

토마토케첩이 눌러 짜내는 병(스퀴즈 바틀)에 담겨 식탁에 오른 지 이미 오래되었다. 그런데 한 가지 커다란 문제가 생겼다. 폴리에틸렌이나 폴리프로필렌 용기는 공기 투과를 막지 못해 용기 속 케첩을 오랫동안 보관하지 못했다. 그래서 개발된 새로운 개념이 바로 여러 겹 용기의 개념이다. 즉 안팎 폴리프로필렌 층 사이에 산소 투과성이 나쁜 에틸렌-비닐알콜 공중합체(EVA) 막이 들어 있게 성형하는 기술로 이 문제를 해

4. 현대문명 속에 숨어 있는 화학

결하고 있다. 이 정도만으로 스마트 포장재라고 할 수는 없다. 이 방법보다 조금 더 적극적으로 화학을 사용하는 경우가 스마트 포장재에 속한다. 한 예로 포장 속 산소를 제거함과 동시 산소량이 너무 많아지면 색깔이 변하여 그 위험 수위를 판매자와 소비자에게 알려준다. 엷푸른 제1탄산철가루를 공기가 통하는 조그만 투명 포장재 속에 넣고 부패하기 쉬운 식품을 밀폐하면 이 화합물은 포장 속에 잔존하거나 새로 들어오는 산소와 반응해 갈색의 제2탄산철로 변한다.

제품이 출하 후 얼마나 되었는지, 경험한 온도는 어떤지, 포장된 음식이 얼마나 신선한지 등을 알리는 정보를 보여주는 스마트 라벨 사용이 우리 앞에 와 있다. 스웨덴과 미국의 몇몇 회사는 이미 이런 아이디어 상품을 시장에 내놓고 있다. 스웨덴의 비스탑사는 비스탑 TTI 라벨 기술을 판매하고 있다. 포장 즉시부터 포장 속 인접 두 주머니에 시간(T)과 온도(T) 지시약(I) 기능을 갖는 효소와 화합물을 분리해 넣고 포장이 끝나자마자 두 주머니 사이의 막을 파열해 섞이게 한다. 그러면 한 주머니 속에 있던 효소가 다른 주머니 속 화합물(기름 성분)을 분해시켜 혼합물의 pH를 낮추고, 따라서 지시약의 색깔이 녹색에서 차차 황색으로 변한다. 라벨에는 어떤 색깔이 어떤 온도와 시간에 해당하는지 도표가 있어 소비자에게 그 제품의 신선도를 알려준다.

또 저장 온도가 중요한 식품을 포장할 때 온도에 따라 민감하게 색깔이 변하는 지시약을 담은 소형 주머니를 함께 넣어 그 지시약의 변색을 보고 그 신선도를 알아볼 수 있는 방법도 사용한다. 그 외에 뚜껑을 열면 뜨거워지거나 차가워지는 포장기술 또한 가끔 회자되고 있다.

끝으로 항체-항원의 상호작용을 이용한 방법은 매우 민감하여 색깔 변화나 형광빛에 의해 포장 속 식품의 신선도를 알 수 있게 한다. 이 정도면 누가 요즈음 포장술이 스마트하지 않다고 할 수 있을까?

박테리아를 이용한
환경친화적 플라스틱

녹말, 동식물 단백질, 면, 비단 등은 인류가 오랫동안 식품이나 재료로 사용해온 천연 고분자다. 이제는 이 목록에 박테리아들이 만드는 생분해성 폴리에스테르를 추가해야 한다. 인공적으로 합성한 지방족 폴리에스테르 중에도 수술용 실 등으로 사용하는 생분해성 지방족 폴리에스테르가 시판되고 있다. 그러나 이들이 화학자들의 합성 노력의 결과물인 데 반하여 소위 박테리아 중합체라 부르는 PHB나 PHBV는 박테리아(알칼리게네스 유트로푸스, 슈도모나스 뮬티보란스 등) 들이 에너지 저장 물질로 합성하는 생분해성 고분자로 환경친화적 플라스틱이다.

이 플라스틱은 현재 영국의 제네카(전 ICI)가 바이오폴이라는 상품명으로 연 1000톤 정도 생산하고 있으며 그 소비량은 점차 늘어나고 있다. 이외에 독일의 바스프사, 오스트리아의 페트로케미 다뉴비아사도 미생물 폴리에스테르를 개발하고 있다. 일본에서는 미쓰비시 가세이사가

PHBV를 생산하여 비타민 등 일부 약병을 제조 · 판매하고 있다.

이 환경친화적 플라스틱을 생산하려면 값이 비싼 글루코오스(포도당), 발레르산 등을 박테리아에게 먹여야 하므로 아직은 단가가 높다는 흠이 있다. 박테리아 폴리에스테르의 가격은 1킬로그램당 3.5달러 정도로 흔히 사용하고 있는 PET 폴리에스테르보다 세 배나 비싸다.

역사적으로는 지금부터 90여 년 전인 1925년 프랑스의 파스퇴르 연구진이 일부 박테리아가 탄수화물을 식량으로 하여 PHB를 합성한다는 것을 발견했다. 그러나 이 발견에 큰 의미를 두지 않았다가 1970년대 세계가 석유파동을 경험한 후 이들 박테리아 플라스틱에 관한 관심이 커지게 되었다. 당시 영국의 ICI는 연구를 거듭한 끝에 1992년부터 생산에 들어가게 되었다. 박테리아를 이용한 환경친화적 화학 제품의 생산은 미래 화학 공업의 발전 방향에 시사하는 바가 클 뿐만 아니라, 화학-미생물학의 융합과학이 인류를 위해 공헌할 수 있음을 암시한다.

합성 플라스틱의 대부분은 석유화학 제품으로, 고갈되고 있는 석유에 그 원료를 의존하는 현실이다. 그러나 안타깝게도 인류는 현재 석유의 90퍼센트 정도를 연료로 사용하고 있다. 석유 소비량을 줄여나가지 않으면 석유화학 공업도 위태롭게 되므로, 한 세기 후 인류의 생활은 상상조차 할 수 없을 정도로 암울할 뿐이다. 이러한 상황에서 비분해성 쓰레기 문제까지 일으키고 있는 합성 플라스틱의 대체 재료로, 환경친화적이며 석유에 의존하지 않는 플라스틱의 생산과 이용은 최대의 관심사가 아닐 수 없다.

다행히 박테리아 폴리에스테르에 덧붙여 다른 여러 가지 환경친화적 천연물 고분자의 응용도 활발하게 연구되고 있다. 나무 목질의 주성분인 리그닌 중합체, 녹말의 플라스틱화, 천연 단백질의 플라스틱화 등이 그 대표적 예다. 한걸음 더 나아가 광합성 작용으로 포도당을 합성하는 나뭇잎에 박테리아의 유전자를 주입해 나뭇잎을 PHB 등의 합성공장으로 사용하는 연구도 국내외에서 진행중이다. 이미 1999년 미국의 본산토사가 이에 대한 가능성을 보여주었으며, 우리나라 임업연구원에서도 유사한 연구를 수행한 바 있다. 비록 이들 개발 연구가 초보 단계이지만 21세기가 경험할 융합과학기술의 결과는 인류가 사용할 환경친화적 미래 재료와 깊은 관계를 가질 것이 분명하다. 이렇듯 화학의 영역과 방법은 한없이 넓어지고 있다.

찾아보기

교실 밖 화학 이야기

교실 밖 화학 이야기

진정일 교수의
교실 밖 화학 이야기

1판 1쇄 펴냄 2013년 10월 21일
1판 8쇄 펴냄 2020년 9월 25일
2판 1쇄 펴냄 2022년 5월 2일
2판 2쇄 펴냄 2024년 7월 15일

지은이 진정일

주간 김현숙 | **편집** 김주희, 이나연
디자인 이현정, 전미혜
마케팅 백국현(제작), 문윤기 | **관리** 오유나

펴낸곳 궁리출판 | **펴낸이** 이갑수

등록 1999년 3월 29일 제300-2004-162호
주소 10881 경기도 파주시 회동길 325-12
전화 031-955-9818 | **팩스** 031-955-9848
홈페이지 www.kungree.com
전자우편 kungree@kungree.com
페이스북 /kungreepress | **트위터** @kungreepress
인스타그램 /kungree_press

ⓒ 진정일, 2013.

ISBN 978-89-5820-260-8 03400